D0511385

PAULO COELHO

ALDATMAK

1. basım: Eylül 2014, İstanbul
Bu kitabın 1. baskısı 120 000 adet yapılmıştır.

Yayına hazırlayan: Ekrem Cantürk

Düzelti: Aylin Samancı, Burçak Karabağ
Mizanpaj: Bahar Kuru Yerek

Kapak tasarımı: Utku Lomlu / Lom Tasarım (www.lom.com.tr)
Kapak resmi: © Ingram Publishing

Kapak baskı: Azra Matbaası
Litros Yolu 2. Matbaacılar Sitesi D Blok 3. Kat No: 3-2
Topkapı-Zeytinburnu, İstanbul
Sertifika No: 27857

İç baskı ve cilt: Ayhan Matbaası
Mahmutbey Mah. Devekaldırımı Cad. Gelincik Sokak No: 6 Kat: 3 Güven İş Merkezi, Bağcılar, İstanbul
Sertifika No: 22749

ISBN 978-975-07-2320-9

CAN SANAT YAYINLARI
YAPIM VE DAĞITIM TİCARET VE SANAYİ LTD. ŞTİ.
Hayriye Caddesi No: 2, 34430 Galatasaray, İstanbul
Telefon: (0212) 252 56 75 / 252 59 88 / 252 59 89 Faks: (0212) 252 72 33
www.canyayinlari.com
yayinevi@canyayinlari.com
Sertifika No: 10758

PAULO COELHO

ALDATMAK

ROMAN

Portekizce aslından çeviren
Emrah İmre

Paulo Coelho'nun Can Yayınları'ndaki diğer kitapları:

Simyacı, 1996
Piedra Irmağı'nın Kıyısında Oturdum Ağladım, 1997
Beşinci Dağ, 1998
Veronika Ölmek İstiyor, 2000
Şeytan ve Genç Kadın, 2001
Işığın Savaşçısının Elkitabı, 2003
On Bir Dakika, 2004
Zâhir, 2005
Hac, 2006
Portobello Cadısı, 2007
Kazanan Yalnızdır, 2009
Brida, 2010
Elif, 2011
Akra'da Bulunan Elyazması, 2012

PAULO COELHO, 1947'de Brezilya'nın Rio de Janeiro kentinde doğdu. Kendini tümüyle edebiyata vermeden önce tiyatro yönetmenliği, oyunculuk, şarkı sözü yazarlığı ve gazetecilik yaptı. 1986'da yayımlanan *Hac* adlı ilk romanının ardından gelen *Simyacı*'yla dünya çapında üne erişti. *Simyacı*, XX. yüzyılın en önemli yayıncılık olaylarından biri oldu, 56 dile çevrildi ve 65 milyon sattı. Coelho, *Brida* (1990) *Piedra Irmağı'nın Kıyısında Oturdum Ağladım* (1994), *Beşinci Dağ* (1996), *Işığın Savaşçısının Elkitabı* (1997), *Veronika Ölmek İstiyor* (1998), *Şeytan ve Genç Kadın* (2000), *On Bir Dakika* (2003), *Zâhir* (2005), *Portobello Cadısı* (2006), *Kazanan Yalnızdır* (2008), *Elif* (2011) ve *Akra'da Bulunan Elyazması* (2012) gibi yapıtlarıyla sürekli olarak çoksatar listelerinde yer aldı. 170 ülkede, 80 dilde yayımlanan kitaplarının toplam satışı 165 milyona ulaştı. Bugüne kadar pek çok ödül ve nişana değer görülen Coelho, Birleşmiş Milletler Barış Elçisi ve Brezilya Edebiyat Akademisi üyesidir.

EMRAH İMRE, 1980'de İstanbul'da doğdu. Auckland Üniversitesi'nde Dilbilim ve Karşılaştırmalı Edebiyat öğrenimi gördü. İngilizce, Portekizce, İspanyolca ve Fransızcadan çeviriler yaptı. José Saramago, Gabriel García Márquez, Gilbert Adair, Amit Chaudhuri, Nicholas Christopher, Luisa Valenzuela ve César Aira gibi yazarların eserlerini Türkçeye çevirdi. Emrah İmre, İsviçre ve Yeni Zelanda'dan sonra yaşamını Brezilya'da sürdürmektedir.

Ey günah işlemeden hamile kalan Meryem,
dua et Sen'den yardım isteyen bizler için. Amin.

"Suların daha derin olduğu yere git..."

Luka, 5:4

Her sabah "yeni bir gün" dedikleri şeye açtığım gözlerimi gerisingeri kapamak, yatağımdan hiç çıkmamak istiyorum. Ama mecburum.

Harika bir kocam var, bana sırılsıklam âşık, saygın bir yatırım bankasının sahibi ve her sene –kendisi istemese de– *Bilan* dergisi tarafından İsviçre'nin en zengin üç yüz kişisi arasında gösteriliyor.

İki oğlum (arkadaşlarımın tabiriyle) benim "yaşama sebebim". Sabahları erkenden kahvaltılarını hazırlayıp onları evden beş dakika yürüme mesafesindeki okullarına götürmeliyim; okulları tam gün olduğundan çalışmaya ve kendime zaman ayırmaya fırsat bulabiliyorum. Okuldan sonra, kocam ve ben eve dönene kadar, onlara Filipinli bir dadı bakıyor.

İşimi seviyorum. Yaşadığımız şehir Cenevre'deki hemen her sokağın köşesinden satın alınabilecek saygın bir gazetede muhabirlik yapıyorum.

Senede bir kez ailemle birlikte seyahate çıkıyorum, çoğunlukla enfes kumsallara sahip cennet misali yerlere; kendimizi olduğumuzdan daha zengin ve ayrıcalıklı hissetmemizi, yaşamın bize bahşettiği nimetlere ziyadesiyle şükretmemizi sağlayacak kadar fakir insanların yaşadığı "egzotik" kentlere gidiyoruz.

Hâlâ kendimi tanıtmadım: Adım Linda, memnun oldum. 31 yaşındayım, boyum 1.75, 68 kiloyum ve kocamın sınırsız cömertliği sayesinde paranın satın alabileceği en iyi giysileri giyiniyorum. Erkeklerde arzu, kadınlarda kıskançlık uyandırıyorum.

Ama her sabah gözlerimi, herkesin düşlemesine rağmen çok az kişinin erişebildiği bu kusursuz dünyaya açtığım andan itibaren günümün felaket geçeceğini biliyorum. Bu senenin başına kadar hiçbir şeyi sorgulamaz, yaşantımı olduğu gibi sürdürmekle yetinir, hak ettiğimden fazlasına sahip olduğum için nadiren suçluluk duyardım. Güneşli bir günde, evdekilerin kahvaltısını hazırlarken (hâlâ hatırlarım, bahar gelmişti ve bahçede çiçekler rengârenk açmaya başlamıştı) kendi kendime sordum: "Yani her şey bundan mı ibaret?"

Bu soruyu hiç sormamalıydım. Bütün suç önceki gün röportaj yaptığım bir yazarındı; sohbetimiz sırasında bana şöyle demişti:

"Mutlu olmak hiç ilgimi çekmiyor. Aşk ve tutkuyla yaşamayı yeğlerim, ki bu tehlikelidir çünkü karşımıza neler çıkacağını hiç bilmeyiz."

Yazık, diye düşünmüştüm. Hayatta hiç tatmin bulamamış. Üzgün ve kırgın ölecek.

Ertesi gün ise aniden hayatımda hiçbir risk bulunmadığını fark ettim.

Karşıma çıkabilecekleri biliyorum; her günüm bir öncekinden farksız. Âşık mıyım? Tamam, kocamı seviyorum, yani birisiyle sadece para ve çocuklar uğruna, göstermelik yaşamak zorunda kalıp depresyona girmeyeceğim garanti sayılır.

Dünyanın en güvenli ülkesinde yaşıyorum, hayatımdaki her şey düzenli, iyi bir anne ve iyi bir eşim. Oğullarıma da aktarma iddiasında olduğum katı bir Protestan eğitimi aldım. Hiçbir yanlış adım atmıyorum çünkü her şeyi tepetaklak edebileceğimin farkındayım. Her şeyi en yüksek beceri ve en düşük insan ilişkisi ilkesiyle gerçekleştiriyorum. Ancak, gençliğimde ben de, her normal insan gibi karşılıksız aşkların acısını çektim.

Ama evlendiğimden beri zaman duruverdi.

Ta ki şu lanet olasıca yazar ve verdiği cevap karşımda belirene dek. İyi de rutinin ve bıkkınlığın ne zararı var ki?

Açıkçası hiçbir zararı yok. Yalnızca...

... yalnızca her şeyin, beni tamamen hazırlıksız yakalayacak ani değişimine karşı duyduğum o üstü örtülü korku.

Bu melun düşünce güneşli bir sabahın ortasında aklıma düştüğü andan itibaren korkmaya başladım. Kocam ölürse dünyayı tek başıma göğüsleyebilecek miydim? Evet, diye cevap verdim kendi kendime; çünkü bırakacağı miras birkaç nesli birden geçindirmeye yetecektir. Peki ya ben ölürsem, oğullarıma kim bakar? Sevgili kocam elbette. Ama zengin, yakışıklı ve akıllı olduğu için o da illa başkasıyla evlenir. Çocuklarım emin ellerde olur mu?

İlk adımda aklımdaki tüm kuşkuları cevaplandırmaya çalıştım. Ne kadar cevaplasam o kadar yeni soru çıkıyordu. Acaba ben yaşlanınca kocam kendine bir sevgili bulacak mıydı? Artık eskisi gibi sevişmediğimize göre acaba şimdiden başkasını bulmuş muydu? Son üç senedir kendisine pek ilgi göstermediğim için acaba o, benim başkasını bulduğumu zannediyor muydu?

Kıskançlık yüzünden hiç kavga etmemiştik, bence bu harikaydı ama o bahar sabahından itibaren bunun karşılıklı sevgi eksikliğinden kaynaklandığından kuşkulanmaya başladım.

Konuya daha fazla kafa yormamak için elimden geleni yaptım.

Bir hafta boyunca, her iş çıkışı, Rue du Rhône'a gidip alışveriş yaptım. İlgimi çeken pek bir şey yoktu; ama en azından –lafın gelişi de olsa– değişik bir şey yaptığımı düşünüyordum. Öncesinde hiç eksikliğini duymadığım bir şeye ihtiyaç duymaya başladım. Her ne kadar elektrikli ev aletleri aleminde yenilikler nadir olsa da hiç tanımadığım bir elektrikli ev aleti keşfettim. Çocuklarımı abartılı hediyeler alıp şımartmamak için çocuk mağazalarından uzak durdum. Aşırı cömertliğim kocamın aklına kuşku düşürmesin diye erkek mağazalarına da uğramadım.

Eve dönüp kendi dünyamın büyülü diyarına adım attığımda üç-dört saatliğine her şey harika görünüyordu, ta ki herkes uyuyana dek. Derken kâbusum yavaş yavaş yerleşik hale gelmeye başladı.

Bence tutku gençlere özgüdür ve benim yaşımda, eksikliği gayet normal olmalı. Korktuğum bu değil.

Bugün, o sabahtan birkaç ay sonra, her şeyin değişeceği korkusuyla her şeyin son nefesime dek aynı kalacağı korkusu arasında bölünmüş bir kadınım ben. Kimileri yaz mevsimi yaklaştıkça aklımıza tuhaf fikirler geldiğini, açık havada vakit geçirip dünyanın boyutlarını fark ettikçe kendimizi küçük hissettiğimizi söylerler. Ufuk çizgisi daha bir uzağımızdadır, tıpkı bulutlar ve evimizin duvarları gibi.

Olabilir. Ama artık gözüme uyku girmiyor ve bunun sebebi havaların ısınması değil. Gece olup bakışları üzerimde hissetmediğimde her şeyden korku duyuyorum: yaşamdan, ölümden, sevgiden ve sevgi eksikliğinden, bütün yeniliklerin alışkanlığa dönüşmesinden, hayatımın en parlak yıllarını ölümüme dek tekrarlanacak bir rutine bağlayarak kaybettiğim duygusundan, ne kadar heyecan verici ve macera dolu görünse de bilinmeyenle yüzleşmenin yarattığı telaştan.

Haliyle, başkalarının çektiği acıları düşünerek teselli bulmaya çalışıyorum.

Televizyonu açıp rasgele bir haber kanalını seçiyorum. Kazalar, doğal afetler yüzünden yuvalarından olanlar, mülteciler hakkında bitmek bilmez haberleri izliyorum. Şu anda gezegenimizde kaç hasta insan var? Adaletsizlikler ve ihanetler yüzünden kaç kişi, sessizce ya da çığlık çığlığa acı çekiyor? Kaç tane fakir, işsiz ve mahkûm var?

Kanalı değiştiriyorum. Bir pembe dizi ya da film izleyerek birkaç dakika veya saatliğine de olsa dikkatimi başka yöne çekiyorum. Kocamın uyanıp, "Ne oldu, aşkım?" sorma olasılığı karşısında korkumdan ölüyorum. Çünkü her şeyin yolunda olduğu cevabını vermem gerekecek. Daha fenası –tıpkı geçen ay iki-üç kez yaşadığımız gibi– yattığımızda kocam elini bacağıma koyup yavaşça yukarı çıkarak bana dokunmaya başlarsa olur. Orgazm taklidi yapmayı becerebilirim –bunu defalarca yaptım– ama kendi isteğimle hemen ıslanamam.

Mecburen çok yorgun olduğumu söylerim, o da bozulduğunu asla açık etmeden dudaklarıma bir öpücük kondurur ve öbür tarafa dönüp tabletinde en son haberlere bakar ve ertesi günü bekler. Dolayısıyla ben kocamın baştan yorgun mu yorgun olmasını umut ederim.

Ama hep böyle olmaz. Arada sırada ilk hamleyi benim yapmam gerekir. Onu arka arkaya iki gece geri çevirirsem başkalarının peşine düşer ve ben onu kaybetmeyi kesinlikle istemiyorum. Önceden biraz mastürbasyon yaparak ıslanmayı beceriyorum ve her şey normale dönüyor.

"Her şey normale dönüyor," demek; hiçbir şey eskisi gibi, birbirimizi gizemli bulduğumuz o günlerdeki gibi olmayacak anlamına geliyor.

On sene evli kalıp tutkunun ateşini hâlâ söndürememek bana sapkınlık gibi gelir. Sevişme sırasında her zevk alıyormuş gibi yaptığımda içimde bir şeyler ölür sanki. Sadece bir şeyler mi? Bence içim sandığımdan daha hızlı boşalıyor.

Arkadaşlarım şanslı olduğumu düşünürler çünkü

onlara kocamla sık sık seviştiğimizi anlatırım hep, onlar da bana kocalarının hâlâ kendilerine aynı şekilde ilgi duyduğu yalanını söylerler. Evlenince sevişmenin sadece ilk beş sene zevkli geçtiğini, sonrasında işe biraz "fantezi" katmak gerektiğini iddia ederler. Mesela gözlerini kapayıp komşunu üstünde, kocanın asla cüret edemeyeceği şeyleri yaparken hayal etmek. Kendini komşun ve kocan tarafından aynı anda sahip olunurken hayal etmek, bilinen bütün sapkınlıkların ve yasaklı oyunların fantezisini kurmak.

Bugün, çocukları okula götürmek için evden çıkarken durup bir süre komşumu izledim. Onu hiç üstüme çıkmış halde hayal etmedim – işyerimdeki, yüzünde sürekli ıstıraplı ve yalnız bir ifadeyle gezen muhabir delikanlıyı düşünmeyi tercih ederim. Şimdiye dek kimseye kur yaptığını görmedim, çekiciliği de tam buradan geliyor. Gazetede çalışan bütün kadınlar şu ya da bu şekilde "zavallının elinden tutmak istediklerini" dile getirmişlerdir. Bence delikanlı da bunun farkındadır ve bir arzu nesnesi olarak görülmekten memnundur. Belki o da hislerimi paylaşıyordur; bir hamleyle her şeyi –işini, ailesini, geçmişini ve geleceğini– berbat edecek diye ödü kopuyordur.

Neyse... Bu sabah komşumu izledim ve hüngür hüngür ağlayasım geldi. Arabasını yıkayan komşuma bakarken şunları düşündüm: Şu işe bak, tıpkı kocam ve benim gibi birisi daha. Bir gün hepimiz onun yaptığını yapacağız. Çocuklarımız büyüyecek ve başka şehirlere, hatta başka ülkelere taşınacaklar, bizlerse emekli olup arabalarımızı yıkayacağız ya da belki para verip başkasına yıkatacağız. Yine de, belli bir yaştan sonra, vakit geçirmek için fuzuli şeyler yapmak önem kazanır, bedenimizin henüz pas tutmadığını, paranın değerini hâlâ bildiğimizi ve kimi işlere girişmeye gocunmadığımızı başkalarına gösterme ihtiyacı hissederiz.

Bir arabanın temiz olup olmaması dünyayı değiştirmez. Ama bu sabah komşum için dünyanın en önemli şeyine dönüşmüştü. Bana harika bir gün dileyip gülümsedikten sonra yine, Rodin'in bir heykeli üzerinde çalışıyormuşçasına büyük bir özenle işine döndü.

Arabamı bir otoparkta bırakıyorum –"Şehir merkezine toplu taşımayla gelin! Çevreyi kirletmeyin!"– her zamanki gibi otobüse binip yol boyunca bildik şeyleri görerek işyerime geliyorum. Cenevre çocukluğumdan beri hiç değişmedi sanki: 1950'li yıllarda "yeni mimari"yi keşfeden deli bir belediye başkanının inşa ettiği binaların arasında kalan eski malikâneler yerlerinden ayrılmamakta direniyorlar.

Her seyahat ettiğimde bunların eksikliğini duyarım. Bu muazzam zevksizliğin, cam ve çelikten kocaman kulelerin, otoyolların eksikliğini hissederim, kaldırımların betonunu yarıp dışarı çıkan ve habire ayağımızın takıldığı ağaç köklerinin, gizemli tahta çitlerle çevrili, "doğada böyle" denerek içinde her türlü otun yetişmesine izin verilen halka açık bahçelerin... yani modernleşerek büyüsünü kaybeden diğer bütün şehirlerden farklı bir şehrin eksikliğini.

Burada sokakta tanımadığımız birine rastlayınca hâlâ "günaydın" diyoruz, bir şişe su aldığımız bir dükkândan çıkarken "görüşmek üzere" diyoruz, oraya bir daha dönmeyeceğimizi bilsek bile. Hatta otobüste tanımadıklarımızla sohbet ediyoruz, oysa dünyanın geri kalanı biz İsviçrelileri ketum ve soğuk zanneder.

Olur mu hiç öyle şey! Ama bizi öyle sanmaları iyidir çünkü böylece yaşam biçimimizi değiştirmeden beş-altı yüzyıl daha geçirebiliriz, ta ki istilacı barbarlar Alp Dağları'nı aşıp müthiş elektronik aletlerini, odaları küçücük olsa da davetlileri etkilemek için büyük salonlu dairelerini, aşırı makyajlı kadınlarını, yüksek sesle konuşup komşuları rahatsız eden adamlarını ve isyankâr kıyafetler giyseler de anne babaları ne düşünür diye ödleri kopan gençlerini getirene kadar.

Bırakalım herkes bizim sırf inek yetiştirip peynir, çikolata ve saat ürettiğimizi sansın. Cenevre'deki her sokağın köşesinde bir banka olduğunu sansın. Bu görüşü değiştirmeye hiç mi hiç meraklı değiliz. Barbarların istilası olmadıkça mutluyuz. Hepimiz tepeden tırnağa silahlarla donanmışız –askerlik zorunlu olduğundan İsviçreli her erkeğin evinde bir tüfek bulunur– ama insanların birbirini vurduğu nadiren duyulur.

Yüzyıllardır hiçbir şeyi değiştirmeden mutlu yaşadık. Avrupa evlatlarını anlamsız savaşlara gönderip dururken tarafsız kaldığımız için gurur duyuyoruz. Cenevre'nin pek çekici olmayan görünümü, XIX. yüzyılın sonundan kalma kafeleri ve sokaklarda gezinen yaşlı kadınları konusunda kimseye hesap vermemiz gerekmediği için seviniyoruz.

"Mutluyuz" diye vurgulamak belki yanlış olur. Herkes mutlu, şu anda işyerine giden ve bu esnada derdinin ne olduğuna kafa yoran ben hariç.

Her zamankinden farksız bir gün daha: Gazetemiz yine alışıldık araba kazalarından, (silahsız) soygunlardan ve (son derece işinin ehli itfaiyecilerin doldurduğu onlarca itfaiye aracının sırf fırında yanan bir yemeğin dumanı herkesi korkuttu diye eski bir apartman dairesini sulara boğduğu) yangınlardan daha fazla ilgi çekecek haberler bulmak için uğraşıp duruyor.

Her zamankinden farksız bir eve dönüş daha; yemek pişirmenin, hazır sofranın ve masaya oturup bize verdiği yemekler için Tanrı'ya dua eden ailenin verdiği keyif. Yemeğin ardından herkesin kendi köşesine çekildiği her zamankinden farksız bir akşam daha; baba çocukların ödevine yardım edecek, anne mutfağı temizleyip evi toparlayacak ve ertesi gün erkenden gelecek gündelikçinin parasını ayıracak.

Bu aylar boyunca kendimi çok iyi hissettiğim anlar da oldu. Bence hayatımın anlamı var, bize Yeryüzü'nde insan olma rolü biçilmiş. Çocuklarım annelerinin huzurlu olduğunun farkındalar, kocam daha tatlı ve ilgili, adeta evin kendisinden bir ışık yayılıyor. Sokağımız, şehrimiz, eyaletimiz –burada kanton deriz– ülkemiz için mutluluk timsaliyiz.

Derken aniden, hiçbir mantıklı açıklama olmaksızın,

duşa giriyorum ve hüngür hüngür yere kapanıyorum. Banyoda ağlıyorum, böylece kimse hıçkırıklarımı duyup o en nefret ettiğim soruyu soramıyor: "İyi misin?"

Evet, neden olmayacak mışım? Yoksa hayatımda ters giden bir şey mi gördünüz?

Yok.

Geceleri korkuyorum, o kadar.

Gündüzler ise hiç keyif vermiyor.

Aklımda görüntüler canlanıyor; geçmişten mutlu anlar ve olabilecekken olmamış şeylerin görüntüleri.

Asla girişilmeyen maceraların arzusu.

Çocuklarıma ne olacağını bilmemenin verdiği korku.

Derken düşünceler olumsuzluklara kaymaya başlıyor, hep aynı şeylere, sanki iblisin biri odamın köşesinde pusuya yatmış bekliyor, üstüme atlayıp benim "mutluluk" adını verdiğim şeyin aslında gelip geçici bir durum olduğunu, yakında sona ereceğini söylemek için. Ben böyle olacağını başından beri biliyordum, değil mi?

Değişmek istiyorum. Değişmem lazım. Bugün işyerimde her zamankinden daha fazla asabiyet gösterdim, sırf bir stajyer istediğim makaleleri bulmakta gecikti diye. Normalde böyle değilimdir; ama yavaş yavaş kendimle teması kaybediyorum, benliğimden kopuyorum.

Suçu şu yazara ve röportajına atmak saçma. Üzerinden aylar geçti. O sadece her an patlayıp etrafa ölüm ve yıkım saçmaya başlayabilecek bir volkanın ağzındaki örtüyü kaldırdı. O olmasaydı yerini bir film, bir kitap ya da ayaküstü lafladığım başka biri alacaktı. Herhalde bazı insanlar yıllarını farkına bile varmadıkları baskıyı içlerinde büyüterek geçirirler, ta ki günlerden bir gün alakasız bir saçmalıktan dolayı kendilerini kaybedene dek.

Ve şöyle derler: "Yeter. Artık bunu istemiyorum."

Kimi kendini öldürür. Kimi boşanır. Kimiyse Afrika'nın fakir bölgelerine gidip dünyayı kurtarmaya çalışır.

Ama ben kendimi tanıyorum. Tek tepkimin hislerimi bastırmak olacağını, sonunda bir kanserin beni yiyip tüketeceğini biliyorum. Çünkü çoğu hastalığa bastırılmış duyguların yol açtığına inanıyorum.

Sabahın ikisinde uyanıyorum ve ertesi gün erkenden kalkmam gerektiğini –ki bundan nefret ederim– bilmeme rağmen yattığım yerden tavana bakakalıyorum. "Bana neler oluyor?" gibi yapıcı sorulara odaklanacağıma düşüncelerimin hâkimiyetini kaybediyorum. Günlerdir –sadece birkaç gündür, Tanrı'ya şükür– bir psikiyatri hastanesine gidip yardım istesem mi diye içim içimi yiyor. Bunu yapmama engel olan şey işim ya da kocam değil, çocuklarım. Onlar hissettiklerimi hiçbir şekilde fark etmemeliler.

Hayatın yoğunluğunu, şiddetini duyumsuyorum. Aklıma yeniden kıskançlığın asla konu edilmediği bir evliliği –kendiminkini– getiriyorum. Aslında biz kadınların altıncı hissi vardır. Belki de kocam başkasını bulmuştur ve ben bunu bilinçsizce hissediyorumdur. Yine de ondan kuşkulanmam için herhangi bir sebep yok.

Çok saçma değil mi bu? Acaba dünyadaki bunca erkek arasında baştan aşağı kusursuz olan tekiyle evlenmiş olabilir miyim? İçki içmez, geceleri dışarı çıkmaz, tek bir gününü bile arkadaşlarıyla baş başa geçirmeye ayırmaz. Hayatında ailesinden başka bir şey yoktur.

Kâbustan farksız olmasaydı rüya bile diyebilirdim buna çünkü ondan aşağı kalmamak adına kendime yüklediğim sorumluluk müthiş bir baskı yapıyor.

Derken bizi yaşamın karşısında kendimizden emin ve hazırlıklı hissettirmeye çalışan, bütün kitaplarda okuduğumuz "iyimserlik" ve "ümit" gibi kelimelerin alt tarafı birer sözcük olduğunu idrak ediyorum. Bu sözcükleri ilk telaffuz eden âlimler belki de onları anlamlandırma arayışı içindeydiler ve böyle bir uyarıcıya nasıl tepki vereceğimizi görmek için bizleri kobay olarak kullandılar.

Aslında hayatımın mutlu ve kusursuz olmasından bıktım. Ve sadece bu, belli bir zihinsel hastalığın belirtisi olabilir.

Aklımda bu düşünceyle uykuya dalıyorum. Acaba derdim sandığımdan ciddi olabilir mi?

Öğle yemeğimi bir arkadaşımla birlikte yiyeceğim.

Arkadaşım ismini şimdiye kadar hiç duymadığım bir Japon lokantasında buluşmayı önerdi – ismini duymamam tuhaf çünkü Japon yemeğine bayılırım. İşyerimin biraz uzağında kalsa da yemeklerin mükemmel olduğuna beni ikna etti.

Lokantaya gelişim kolay olmadı. Otobüste aktarma yapmam, sonra da sokakta birine "harika lokanta"nın bulunduğu pasajın yerini tarif ettirmem gerekti. İçeri girince her şeyi –dekorasyonu, örtü yerine kâğıtla kaplı masaları, pencere bulunmayışını– berbat buluyorum. Ama arkadaşım haklı. Cenevre'de yediğim en iyi yemeklerden biri.

"Ben hep aynı lokantada yerdim, fena bulmazdım ama özel bir tarafı da yoktu," diyor arkadaşım. "Derken Japon sefaretinde çalışan bir arkadaşım burayı tavsiye etti. Mekânı berbat buldum, herhalde sen de aynı şeyi düşünmüşsündür. Ama lokanta bizzat sahipleri tarafından işletiliyor, farkı yaratan da bu."

Ben hep aynı lokantalara gidip aynı yemekleri sipariş ediyorum, diye düşünüyorum. Bu konuda bile riske girmekten âcizim artık.

Arkadaşım antidepresan kullanıyor. Hayatta son istediğim şey onunla bu konuda konuşmak; çünkü bugün hastalığın bir adım ötemde olduğuna kanaat getirdim ve bunu kabullenmek istemiyorum.

Tam da kendi kendime hayatta istediğim son şeyin bu olduğunu söylerken ilk yaptığım şey bu oluyor. Başkasının başına gelen felaketler daima kendi ıstırabımızı yatıştırmaya yarar.

Keyfinin nasıl olduğunu soruyorum.

"Çok daha iyiyim. İlaçların tesiri uzun sürse de bünyeye etki etmeye başlayınca etrafımızdaki şeylere yeniden ilgi duyuyor, yeniden her şeyin rengi ve tadı olduğunu fark ediyoruz."

Başka bir deyişle: İnsanların ıstırabı da ilaç endüstrisi için bir kazanç kapısına dönüşmüş. Mutsuz musun? Şu hapı alırsan bütün dertlerin geçecek.

Arkadaşıma nazikçe, gazetede depresyon hakkında hazırlayacağım önemli bir makale konusunda bana yardım edip edemeyeceğini soruyorum.

"Zahmet ettiğine değmez. Artık insanlar bütün hissettiklerini internette paylaşıyorlar. Ayrıca ilaçlar da var."

İnternette neler tartışılıyor?

"İlaçların yan etkileri. Kimse başkasının belirtileriyle ilgilenmiyor çünkü bunlar adeta bulaşıcı. Yoksa, birdenbire öncesinde var olmayan duyguları hissetmeye başlayabiliriz."

Bu kadar mı?

"Meditasyon egzersizleri. Ama bunların pek sonuç verdiğine inanmıyorum. Hepsini denedim ama ancak bir derdim olduğunu kabullendikten sonra iyileşmeye başladım."

İyi de yalnız olmadığını bilmenin hiçbir faydası olmuyor mu? Depresyonun hissettirdikleri konusunda konuşmak herkese iyi gelmez mi?

"Kesinlikle hayır. Cehennemden kaçanlar orada hayatın nasıl sürdüğünü hiç mi hiç bilmek istemezler."

Neden yıllarca bu halde kaldın?

"Çünkü depresyonda olduğuma inanmıyordum. Ayrıca seninle veya başka arkadaşlarımla konuştuğumda herkes bunun saçmalık olduğunu, sahiden dertli insanların depresyona girmeye vaktinin olmadığını söylüyordu."

Doğru söylüyordu; sahiden böyle söylemiştim.

Israr ediyorum: Bence makaleler veya blog gönderileri insanların hastalıklarıyla mücadele etmelerine ve yardım istemelerine yardımcı olabilir. Depresyonda olmadığım için bunun nasıl bir şey olduğunu bilmiyorum –bunu özellikle vurguluyorum– acaba kısacık da olsa bundan bahsedebilir mi?

Arkadaşım tereddüt ediyor. Ama o benim arkadaşım ve belki de bir şeyden şüpheleniyor.

"Bir tuzağa düşmek gibi bu. Tutsak olduğunu bilsen de bir türlü..."

Ben de birkaç gün önce aynen böyle düşünmüştüm.

Arkadaşım "cehennem" tabir edilen yere girip çıkmış herkesin ortak noktası gibi görünen şeyleri sıralamaya başlıyor. Yataktan kalkmayı istememek. En basit işlerin bile Hecules'in görevleri gibi zorlu birer sınamaya dönüşmesi. Dünyada gerçekten ıstırap çeken onca insan varken bu hallere düşmek için hiçbir geçerli sebep bulunmadığından duyulan suçluluk.

Dikkatimi masadaki lezzetli yiyeceklere çevirmeye çalışıyorum ama yemeğin tadı çoktan kaçtı. Arkadaşım konuşmayı sürdürüyor:

"Hissizlik. Neşeliymiş gibi davranmak, mutsuzmuş gibi davranmak, orgazm taklidi yapmak, eğleniyormuş gibi yapmak, iyi uyumuş gibi yapmak, yaşıyormuş gibi yapmak. Ta ki hayalî bir kırmızı çizginin bulunduğu bir âna gelip bu çizgiyi aşarsan dönüş olmadığını fark edene dek. Derken şikâyet etmeyi bırakıyorsun çünkü şikâyet etmek bir şey için mücadele ettiğin anlamına geliyor. Bu bitkisel durumu kabullenip onu herkesten saklamaya çalışıyorsun. Oysa bu hiç de kolay bir iş değil."

Peki senin depresyonunu tetikleyen neydi?

"Önemli bir şey değildi. İyi de bütün bunları neden soruyorsun? Yoksa sen de mi benzer şeyler hissediyorsun?"

Kesinlikle hissetmiyorum!

Konuyu değiştirsek iyi olacak.

Ertesi gün röportaj yapacağım siyasetçiden bahsediyoruz: Liseden tanıdığım eski sevgililerimden biri ama birkaç kez öpüştüğümüzü ve henüz doğru düzgün şekillenmemiş göğüslerimi ellediğini çoktan unutmuştur herhalde.

Arkadaşım bunu duyunca heyecandan yerinde zor duruyor. Bense hiçbir şey düşünmemeye çalışıyorum – tepkilerimi otomatik pilota almış gibiyim.

Hissizlik. Henüz bu aşamaya gelmedim, başıma gelenlerden şikâyet ediyorum ama sanırım çok geçmeden –birkaç ay da sürebilir, birkaç gün veya saat de– her şeye karşı duyduğum ilgisizlik içimde iyice yer edebilir ve bir kez yer etti mi kurtulmak çok zor olacak.

Adeta ruhum yavaş yavaş bedenimi terk ediyor ve tanımadığım bir yere, bana ve geceleri üzerime çöken korkuya daha fazla katlanmasının gerekmeyeceği, "güvenli" bir yere doğru gidiyor. Sanki o anda çirkin; ama yemekleri iyi bir Japon lokantasında değilmişim gibi bütün yaşadıklarım araya girmeyi istemediğim –ve istesem de beceremediğim– bir film misali gözümün önünden geçiyor.

Sabah uyanıp her zamanki şeyleri usulen yerine getiriyorum – dişimi fırçalıyorum, işe gitmek için kendime çekidüzen veriyorum, çocukların odasına gidip onları uyandırıyorum, okula hazırlıyorum, kahvaltı sofrasını kuruyorum, gülümsüyorum, hayat güzel diyorum. Geçen her dakikanın, yaptığım her hareketin ardından üzerime tanımlayamadığım bir ağırlık çöküyor, tuzağa nasıl düştüğünü anlayamayan bir hayvan gibiyim.

Sofradaki yiyeceklerin tadı tuzu yok, gülümsemem ise, tam tersi, dudaklarıma daha da yayılıyor (sofradakiler durumdan şüphelenmesin diye), içimde yükselen ağlama arzusunu bastırıyorum, gün ışığı gözüme gri görünüyor.

Dünkü sohbet bana pek iyi gelmedi: İsyan etmekten vazgeçtiğimi ve hissizliğe doğru süratle yol aldığımı düşünmeye başlıyorum.

Acaba kimse bunu fark etmiyor mu?

Elbette etmiyor. Neticede ben yardıma ihtiyaç duyduğunu kabullenecek son insanım.

Derdim bu işte: Volkan çoktan patladı ve lavları geri çekmek, çevresinde çimler ekip ağaçlar dikmek, koyunlar otlatmak mümkün değil.

Ben bunu hak etmiyordum. Daima herkesin beklentilerini karşılamaya çalıştım. Ama olan oldu ve elimden hiçbir şey gelmiyor, ilaç almaktan başka. Belki hemen bugün psikiyatri ve sosyal güvenlik hakkında bir makale yazmayı önerip (gazetedekiler buna bayılırlar) bana yardım edebilecek iyi bir psikiyatr bulmayı başarırım. Gerçi bu pek ahlaki olmaz. Ama olsun, hayattaki her şey ahlaki değildir.

Kafamı meşgul eden takıntılarım yok, mesela rejim meraklısı değilim. Etrafı toparlama ya da gündelikçinin hatalarını bulma hastası değilim; gündelikçimiz sabah sekizde gelir, çamaşırları yıkayıp ütüler, evi derleyip toparlar, arada sırada süpermarkete gidip alışverişimizi yapar ve öğleden sonra beşte işini bitirip gider. Hayal kırıklıklarımı bir süper anne olmaya çalışarak gideremem çünkü böyle yaparsam çocuklarım beni hayatları boyunca affetmezler.

İşe gitmek için evden çıkınca yine komşumuza rastlıyorum, arabasını cilalıyor. İyi de daha dün aynı şeyi yapmamış mıydı?

Kendimi tutamayıp yanına gidiyorum ve neden aynı şeyi yaptığını soruyorum.

"Birkaç yerin cilası eksik kalmıştı," diye karşılık veriyor, bana, günaydın, deyip ailemin hatırını sorduktan ve elbiseme iltifat ettikten sonra.

Arabasına bakıyorum, markası Audi (kimileri Cenevre'ye Audiland, der). Bana gayet kusursuz görünüyor. Komşum arabanın üstünde gerektiği gibi parıldamayan birkaç noktayı bana gösteriyor.

Lafı uzatıyorum ve insanların hayattaki amaçları konusundaki fikrini sorarak bitiriyorum.

"Çok basit. Faturalarını ödemek. Seninki ya da benimki gibi bir ev satın almak. Ağaçlarla dolu bir bahçeye sahip olmak, çocuklarını ve torunlarını pazar günleri evde öğle yemeğine davet etmek. Emekli olduktan sonra dünyayı gezmek."

İnsanların hayattan beklentileri bu mu? Gerçekten böyle mi? Bu dünyada son derece ters giden bir şey var, Asya veya Ortadoğu'daki savaşlardan farklı bir şey bu.

Gazeteye gitmeden önce liseden sevgilim Jacob'la röportaj yapmam lazım. Bu bile beni heyecanlandırmıyor – sahiden de her şeye ilgimi kaybetmekteyim.

Hükümetin projeleri hakkında hiç sormadığım bir sürü bilgiye kulak veriyorum. Onu zorlayacak sorular soruyorum ama hamlelerimi zarifçe savuşturuyor. Benden bir yaş küçük, yani 30 yaşında ama 35'inde gösteriyor. Bu tespitimi kendime saklıyorum.

Okuldan mezun olup yollarımız ayrıldıktan sonra hayatımda neler olup bittiğini hâlâ sormamış olsa da onu yeniden görmek hoşuma gitti elbette. Bütün dikkatini kendisine, kariyerine, geleceğine vermiş durumda, bense sersemce geçmişe saplanmış haldeyim, dişlerinde tel olmasına rağmen okuldaki diğer kızlar tarafından kıskanılan o ergen kızdan farkım yok sanki.

Çok geçmeden onu dinlemeyi bırakıp otomatik pilota bağlıyorum. Hep aynı laflar, aynı konular – vergileri düşürmek, suçla mücadele etmek, İsviçrelilerin işlerini elinden alan ("sınır sakini" tabir edilen) Fransızların ülkeye giriş çıkışlarını daha iyi denetlemek. Her sene aynı konular tartışılıp durmasına rağmen sorunlara çözüm bulunamıyor; çünkü hiç kimsenin meselelere ilgisi samimi değil.

Sohbetimizin yirminci dakikasından itibaren ilgisizliğimin içinde bulunduğum tuhaf durumun bir sonucu olup olmadığını merak etmeye başlıyorum. Olmadığına

at getiriyorum. Dünyada siyasetçilerle röportaj yap-
an daha sıkıcı bir şey yoktur. Beni bir suç mahalline göndermelerini yeğlerdim. Hiç olmazsa katiller siyasetçilerden daha özgündür.

Ayrıca gezegenin başka köşelerindeki halk temsilcileriyle karşılaştırılınca bizimkiler kadar ilginçlikten uzak ve tatsızları bulmak zordur. Özel yaşamlarıyla kimse ilgilenmez. Sadece iki şey skandala yol açabilir: yolsuzluk ve uyuşturucu. Gazeteler konu eksikliği çektiğinden bu unsurlar devreye girerse olay alabildiğine büyür ve beklenenden daha ağır sonuçlar ortaya çıkar.

Ama siyasetçilerin metresi olup olmadığını, kerhanelere gidip gitmediklerini ya da eşcinselliklerini açık edip etmediklerini kim merak eder? Hiç kimse. Seçim vaatlerini yerine getirdikçe ve kamu bütçesini aşmadıkça hepimiz huzur içinde yaşayıp gideriz.

Ülkemizin başkanı her sene değişir (doğru duydunuz, *her sene*) ve halk tarafından değil, İsviçre Devleti'nin yönetimini üstlenmiş yedi bakanın oluşturduğu Federal Meclis tarafından seçilir. Öte yandan, Güzel Sanatlar Müzesi'nin önünden her geçişimde yeni plebisit propagandalarına rastlarım.

Halk her şeye kendisi karar vermeye bayılır – çöp torbalarının renginden (siyah galip geldi) silah ruhsatlarına (ezici çoğunluğun oyu sayesinde İsviçre dünyada kişi başına en çok silah düşen ülkeye dönüştü), ülke çapında inşa edilmesine izin verilen minare sayısından (dört) yabancılara tanınan sığınma hakkına (takip etmedim ama herhalde kanun onaylanmış ve yürürlüğe girmiştir).

"Bay Jacob König."

Konuşmamız önceden de bir kez kesilmişti. Yardımcısına nazikçe sonraki buluşmasını ertelemesini rica ediyor. Gazetem İsviçre'nin Fransız tarafının en önemli gazetesi ve bu röportaj önümüzdeki seçimlerin kaderini bütünüyle değiştirebilir.

O beni ikna ettiğine emin gibi davranıyor, bense söylediklerine inanmışım gibi.

Sohbetimizi yeterli buluyorum. Ayağa kalkıp teşekkür ediyorum ve röportaj için ihtiyacım olan her şeyi kaydettiğimi söylüyorum.

"Atladığımız bir konu kaldı mı?"

Elbette kaldı. Ama bunu dile getirecek taraf ben değilim.

"İşten çıkınca buluşmaya ne dersin?"

Çocuklarımı okuldan almam gerektiğini söylüyorum. Parmağımda "tren çoktan kaçtı" dercesine parıldayan saf altından alyansı gördüğünü ümit ediyorum.

"Anladım, peki başka bir gün öğle yemeğinde buluşmaya ne dersin?"

Kabul ediyorum. Kendimi kolaylıkla kandırıp içimden şöyle diyorum: Belki de bana son derece önemli bir bilgi verecektir, mesela bir devlet sırrı, ülkemizin siyasetini kökten değiştirecek ve gazetemin yazıişleri şefinin bana bambaşka bir gözle bakmasını sağlayacak bir bilgi, belli mi olur?

Kalkıp odasının kapısını kilitliyor ve yanıma dönüp beni öpüyor. Öpücüğüne karşılık veriyorum; çünkü bunu son yaptığımızın üstünden uzun zaman geçti. Geçmişte âşık olabileceğim Jacob'un bugün bir ailesi var, bir öğretim üyesiyle evli. Benim de bir ailem var, servetini miras yoluyla kazansa da çalışmaktan gocunmayan bir adamla evliyim.

Aklımdan onu itip artık çocuk olmadığımızı söylemek geçse de bu durum hoşuma gidiyor. Bugünlerde yeni bir Japon lokantası keşfetmekle kalmadım, yanlış görülen bir şey de yaptım. Kuralları çiğnemeyi başardım ve dünya başıma yıkılmadı! Uzun zamandır kendimi bu kadar mutlu hissetmemiştim.

Her geçen saniye kendimi daha iyi, daha cesur, daha özgür hissediyorum. Derken okul yıllarından beri düşlediğim bir şey yapıyorum.

Yere diz çöküp pantolonunun fermuarını açıyorum ve aletini yalamaya başlıyorum. Saçlarımı kavrıyor ve başımı istediği hızda indirip kaldırıyor. Bir dakika geçmeden boşalıyor.

"Harika!"

Karşılık vermiyorum. Aslında benim açımdan ona nazaran daha iyi geçtiği söylenebilir, ne de olsa erken boşalan kendisiydi.

Günahımın ardından işlediğim suçun ortaya çıkma ihtimali içimi korkuyla dolduruyor.

Gazeteye dönerken diş fırçası ve diş macunu satın alıyorum. Yarım saatte bir tuvalete gidip yüzümde ya da ince işlemeleri kolayca lekelenen Versace marka bluzumda herhangi bir iz kalıp kalmadığını kontrol ediyorum. Gözucuyla meslektaşlarımı izliyorum ama hiçbiri (özellikle de böyle konular için radarları hep açık tutan kadınlar) bir şeyin farkına varmıyorlar.

Niçin yaptım bunu? Sanki bir başkası bana hükmedip beni o erotizmden uzak, safi mekanik duruma sokmuştu. Acaba Jacob'a bağımsız, özgür, kendi kendimin efendisi bir kadın olduğumu kanıtlamak mı istemiştim? Onu etkilemek için mi yapmıştım bunu, yoksa arkadaşımın "cehennem" adını verdiği şeyden kaçmaya çalışmak için mi?

Her şey eskiden olduğu gibi kalacak. Bir yol ayrımında falan değilim. Gideceğim yönü biliyorum ve önümüzdeki yıllarda ailemin yönünü değiştirmeyi başaracağımı, sonumuzun araba yıkamayı olağanüstü bir şey zanneden insanlarınki gibi olmayacağını ümit ediyorum. Büyük değişimler zaman ister – ve benim zamanım bol.

En azından ben öyle umuyorum.

Eve dönünce mutlu ya da mutsuz görünmemeye çabalıyorum. Bu halim çocukların dikkatinden hiç kaçmıyor.

"Anne, bugün sende bir tuhaflık var."

İçimden evet, demek geliyor: Evet, var çünkü yapmamam gereken bir şey yapmama rağmen en ufak bir suçluluk duymuyorum, sadece yaptığımın ortaya çıkmasından korkuyorum.

Kocam eve geliyor ve her zamanki gibi beni öpüp günümün nasıl geçtiğini ve akşam ne yiyeceğimizi soruyor. Alışık olduğu cevapları veriyorum. Rutinimiz değişmezse sabah bir siyasetçiye oral seks yaptığımdan da kuşkulanmaz.

Bu arada yaptığımdan zerre kadar fiziksel haz almadığımı belirtmeliyim. Şimdiyse arzudan çılgına dönmüş haldeyim, bir erkeğe, binlerce öpücüğe, üstümdeki bir bedenin bana acı ve zevk vermesine ihtiyacım var.

* * *

Yatak odamıza çıkınca düpedüz tahrik olduğumu, kocamla sevişmek için çılgına döndüğümü fark ediyorum. Ama sakin olmalı, abartmamalıyım, yoksa kocam şüphelenebilir.

Banyo yapıp kocamın yanına uzanıyorum, tableti elinden alıp başucu sehpasına koyuyorum. Göğsünü okşamaya başlıyorum ve çok geçmeden tahrik oluyor. Uzun zamandır sevişmediğimiz kadar heyecanla sevişiyoruz. Biraz yüksek sesle inlediğimde kocam sessiz olmazsam çocukları uyandıracağımızı söylüyor, bense bundan artık bıktığımı, hislerimi dışa vurmak istediğimi söylüyorum.

Defalarca orgazma ulaşıyorum. Tanrı'm, yanımdaki bu adamı ne kadar çok seviyorum! Sevişmemiz bittiğinde ikimiz de canımız çıkmış halde serilip kalıyoruz, ter içinde kaldığımızdan yeniden banyo yapıyorum. Kocam banyoda beni izliyor ve şaka olsun diye duşu mahrem yerime tutuyor. Durmasını, yorulduğumu, uyumamız gerektiğini, böyle yaparsa beni yine tahrik edeceğini söylüyorum.

Birbirimizi kurularken günlerimi geçirme biçimimi ne pahasına olursa olsun değiştirme amacıyla beni bir gece kulübüne götürmesini istiyorum. Herhalde artık tuhaf bir şeyler olduğundan şüphelenmiştir.

"Yarın mı?"

Yarın olmaz, yoga dersim var. Cuma gidelim.

"Hazır konu açılmışken, sana lafı dolaştırmadan bir soru sorabilir miyim?"

Kalbim duruyor. Kocam konuşmayı sürdürüyor:

"Yoga dersine neden gidiyorsun? Gayet sakin, kendiyle barışık, ne istediğini bilen bir kadınsın. Yoga boşuna vakit kaybı değil mi?"

Kalbim yeniden atmaya başlıyor. Cevap vermiyorum. Gülümseyip yüzünü okşamakla yetiniyorum.

* * *

Yatağa devrilip gözlerimi kapıyorum ve uyumadan önce şunu düşünüyorum: Herhalde uzun süredir evli olanlarda sıklıkla görülen bir kriz döneminden geçiyorum. Yakında geçer.

Herkesin sürekli mutlu olmasına gerek yoktur. Dahası, dünyada kimse bunu başaramaz. Hayatın gerçekleriyle başa çıkmayı öğrenmek gerek.

Sevgili depresyon, bana hiç yanaşma. Nahoşluk etme. Aynaya bakıp "ne anlamsız bir yaşam" demek için benden çok daha fazla sebebe sahip başkalarının peşine düş. İstesen de istemesen de seni nasıl alt edeceğimi biliyorum.

Depresyon, benimle boşuna vakit harcıyorsun.

Jacob König'le buluşmam tıpkı hayal ettiğim gibi gerçekleşiyor. Gölün kıyısında pahalı bir restoran olan La Perle du Lac'a gidiyoruz, eskiden iyiydi ama artık belediye tarafından işletiliyor. Yemekler rezalet olmasına rağmen hâlâ ateş pahası. Onu birkaç gün önce keşfettiğim Japon lokantasına götürerek şaşırtabilirdim; ama böyle yapsaydım beni kesin zevksiz bulurdu. Kimileri için dekorasyon, yemekten daha önemlidir.

Oysa şimdi doğru kararı verdiğimi anlıyorum. Jacob bana şaraptan anladığını göstermeye çalışıyor, şarabın "buke", "doku" ve kadehin çeperinde bıraktığı izi ifade eden "gözyaşı" gibi özelliklerini değerlendiriyor. Başka bir deyişle, büyüdüğünü, artık o okullu delikanlıdan farklı olduğunu, çok şey öğrendiğini, hayatta yükseldiğini ve artık dünyayı, şarapları, siyaseti, kadınları ve eski sevgililerini tanıdığını bana belli etmeye çalışıyor.

Bir sürü saçmalık! Biz doğumdan ölüme kadar şarap içer dururuz. İyi şarabı kötüsünden ayırt etmeyi biliriz, nokta.

Oysa kocamla tanışana kadar karşıma çıkan –ve kendini görgülü gören– erkekler şarap seçimini nihayet kendilerini gösterebilecekleri bir zafer ânı olarak görürlerdi. Hepsi aynı şeyi yaparlardı: Yüzlerinde dikkat kesildiklerini belli eden bir ifadeyle mantarı koklar, şişenin etiketini okur, garsonun kadehlerine tadımlık bir yudum koymasına izin verir, kadehi çevirir, ışığa tutarak inceler, şarabı koklar, yavaşça yudumlar, yutar ve en sonunda başlarını olumlu anlamda sallarlardı.

Aynı sahneyi sayısız kez izledikten sonra başka kişilerle arkadaşlık kurmak istediğime karar vermiş ve *nerd*'lere, yani fakültenin dışlanmış tiplerine yanaşmıştım. Yapmacık hareketleri önceden kestirilebilen şarap tadımcılarının aksine *nerd*'ler özgün kişilerdi ve beni etkilemeye hiç uğraşmıyorlardı. Hep anlamadığım konulardan bahsediyorlardı. Örneğin, benim hiç olmazsa Intel ismini tanıyacağımı zannediyorlardı, "ne de olsa bütün bilgisayarların üstünde yazılı" idi. Bense buna hiç dikkat etmemiştim.

Nerd'lerin yanında kendimi tam bir cahil gibi hissediyordum, hiçbir çekici yanım yoktu sanki, internet korsanlığı göğüslerim ve bacaklarımdan daha fazla ilgilerini çekiyordu. Ben de bir süre sonra kendimi güvenli hissettiğim şarap tadımcılara döndüm. Derken beni ince zevkleriyle etkilemeye çalışmayan, kendimi aptal hissettiğim, gizemli gezegenler, Hobbit'ler ve ziyaret edilen sayfaların izlerini silen bilgisayar programları gibi mevzulardan bahsetmeyen bir adam çıktı karşıma. Cenevre'mizin gözbebeği Leman Gölü'nün çevresindeki kasabalardan en az yüz yirmi tanesini keşfettiğimiz birkaç aylık birlikteliğimizin ardından bana evlenme teklif etti.

Ânında kabul ettim.

Jacob'a bildiği bir gece kulübü var mı diye soruyorum çünkü Cenevre'nin gece yaşamını (lafın gelişi "gece yaşamı" diyorum) yıllardır takip etmiyorum ve cuma gecesi çıkıp eğlenmeye karar verdim. Gözleri parıldıyor.

"Buna hiç vaktim yok. Davetine sevindim ama bildiğin gibi, hem evliyim hem de gazeteci bir kadınla birlikte görünmem doğru olmaz. Sonra yazdığın haberlerin..."

Taraflı olduğunu söylerler.

"... evet, taraflı olduğunu söylerler."

Kurlaşma oyununu bir adım daha ileri götürmeye karar veriyorum, ne de olsa eğleniyorum. Kaybedecek neyim var ki? Neticede bütün yolları, yöntemleri, hinlikleri, hınzırlıkları ve tuzakları biliyorum.

Bana biraz daha kendinden bahsetmesini rica ediyorum. Özel hayatını merak ediyorum. Nasılsa burada gazeteci değil kadın kimliğimle ve gençlik aşkı kimliğimle bulunuyorum.

Kadın sözcüğünü iyice vurguluyorum.

"Özel hayatım yok," diye karşılık veriyor. "Maalesef olması mümkün değil. Seçtiğim kariyer beni bir makineye dönüştürdü. Söylediğim her şey izleniyor, sorgulanıyor ve yayınlanıyor."

Pek de öyle sayılmaz ama samimiyeti karşısında yelkenleri suya indiriyorum. Onun da araziyi keşfetmekte olduğunun, bastığı yeri tanımak istediğinin ve sınırlarımı sınadığının farkındayım. Şarabı içip böbürlenmeye başlayan her olgun erkek gibi "evliliğin kendisini mutsuzlaştırdığını" ima ediyor.

"İlk iki senemizde birkaç ayımızı mutlu, birkaçını ise mücadele ederek geçirdik, sonrasındaysa vaktimin tamamını kariyerime ve yeniden seçilmek için insanlara iyi görünmeye ayırdım. Hayatta zevk aldığım her şeyden fedakârlık etmek zorunda kaldım, örneğin seninle bu hafta çıkıp dans edebilmek isterdim. Ya da saatlerce müzik dinleyip tüttürüp başkalarının uygunsuz gördüğü bir sürü başka şey yaparak."

Amma abartıyorsun! Kimsenin senin özel hayatınla ilgilendiği yok ki.

"Belki de Satürn yüzündendir. 29 senede bir Satürn doğum tarihimizde bulunduğu yere döner."

Satürn'ün dönüşü mü?

Gevezelik ettiğinin farkına varıyor ve işyerlerimize dönme vaktinin geldiğini söylüyor.

Olmaz. Benim için Satürn'ün dönüşü çoktan gerçekleşti, bunun tam olarak ne anlama geldiğini öğrenmem lazım. Bana bir astroloji dersi veriyor: Satürn 29 senede bir doğum tarihimizde bulunduğu yere döner. Bu âna dek her şeyin mümkün olduğunu, rüyalarımızın gerçekleşeceğini, etrafımızda yükselen duvarları yıkabileceğimizi zannederiz. Satürn döngüsünü tamamladığındaysa romantizmden eser kalmaz. Tercihlerimiz kalıcı hale gelir ve yolumuzu değiştirmemiz neredeyse imkânsızlaşır. Tabii ben konunun uzmanı sayılmam. Ama sonraki şansım ancak 58 yaşıma geldiğimde, Satürn'ün ikinci dönüşünde elime geçecek. Peki Satürn başka yol seçemeyeceğini söylüyorsa beni neden öğle yemeğine davet ettin? Neredeyse bir saattir konuşuyoruz.

"Mutlu musun?"

Ne?

"Gözlerinde bir şey fark ettim... Böylesine güzel, evliliğinden ve işinden memnun bir kadının gözlerinde böyle bir hüzün görmek nasıl açıklanabilir? Kendi gözlerimin bir yansımasına bakıyorum sanki. Sorumu tekrar edeceğim: Mutlu musun?"

Doğduğum, büyüdüğüm ve artık çocuklarımı yetiştirdiğim ülkede *hiç kimse* böyle sorular sormaz. Mutluluğu ölçmek, plebisite açmak, uzmanlar tarafından analiz ettirmek mümkün değildir. Birbirimize arabamızın markasını bile sormazken böyle mahrem ve tanımlanması imkânsız bir şeyi hiç dile getirmeyiz.

"Cevap vermen şart değil. Suskunluğun yeterli."

Hayır, suskunluğum yeterli değil. Hiçbir şeyi cevaplamıyor. Sadece şaşırdığım, donup kaldığım anlamına geliyor.

"Ben mutlu değilim," diyor. "Bir erkeğin arzulayabileceği her şeye sahibim ama mutlu değilim."

Acaba şehrin suyuna bir şey mi kattılar? Acaba ülkemi herkesi derin bir hüsrana sürükleyen bir kimyasal silahla yok etmek mi istiyorlar? Konuştuğum herkesin aynı şeyleri söylüyor olmasına aklım ermiyor.

Buraya kadar hiçbir şey söylemedim. Acı çeken ruhlar birbirini tanımak ve birbirilerine yanaşarak acılarını ikiye katlayarak artırmak gibi inanılmaz bir özelliğe sahiptirler.

Neden bunu fark etmemiştim? Neden onun siyasi konulardan bahsederkenki yüzeyselliğine ya da şarabı tadarkenki ukala tavırlarına takılıp kalmıştım?

Satürn'ün dönüşü. Mutsuzluk. Jacob König'in ağzından duymayı hiç beklemediğim şeylerdi bunlar.

Böylece, tam o anda –saatime bakıyorum, 13.55'i gösteriyor– ona bir kez daha âşık oluyorum. Harika kocam da dahil hayatımda hiç kimse bana mutlu olup olmadığımı sormadı. Belki çocukluğumda annem babam veya dedelerim keyfimin yerinde olup olmadığını sormuşlardır, o kadar.

"Yeniden buluşacak mıyız?"

Karşımda oturan adama bakıyorum ve artık onda gençlik aşkımı görmediğimi fark ediyorum, yerinde kendi arzumla yaklaştığım bir uçurum görüyorum, kıyısından kaçmayı kesinlikle istemediğim bir uçurum. Bir an için uykusuz gecelerimin her zamankinden de daha katlanılmaz hale geleceğini düşünüyorum, ne de olsa artık somut bir derdim var: Gönlümü kaptırdım.

Bilincimdeki ve bilinçaltımdaki bütün kırmızı "uyarı" ışıkları yanıp sönmeye başlıyor.

Ama kendi kendime şöyle diyorum: Sersemlik ediyorsun, onun asıl istediği seni yatağa atmak. Mutlu olup olmadığın umurunda değil.

Derken, intihar eder gibi olumlu cevap veriyorum. Ergenliğimizde sadece göğüslerime dokunan biriyle yatağa girmenin evliliğime iyi gelmeyeceği ne belli? Dün sabah ona oral seks yaptıktan sonra gece defalarca orgazma ulaşmadım mı?

Satürn konusuna dönmeye çalışıyorum ama Jacob garsondan hesabı istiyor, bir yandan da ceptelefonunda birine beş dakika gecikeceğini haber vermekte.

"Hesapla birlikte birer de kahveyle su alalım, lütfen."

Araması bitince kimle konuştuğunu sorduğumda karısıyla konuştuğunu söylüyor. Önemli bir ilaç firmasının yöneticisi kendisiyle buluşmak istiyormuş, belki Eyaletler Konseyi'ne girmek için yürüteceği kampanyaya maddi yardım yapacakmış. Seçimler hızla yaklaşıyor.

Bir kez daha Jacob'un evli olduğunu hatırlıyorum. Mutsuz olduğunu. Canının istediği hiçbir şeyi yapamadığını. O ve karısı hakkında dönen dedikoduları – anlatılanlara bakılırsa açık evlilik yaşıyorlarmış. Önceki gün saat 13.55'te beni alevlendiren o kıvılcımı unutmam ve Jacob'un sadece beni kullanmak istediğini anlamam lazım.

Her şeyi açıkça yaptığımız sürece kullanılmak beni rahatsız etmiyor. Ne de olsa benim de birini yatağa atmam lazım.

* * *

Restoranın önündeki kaldırımda duruyoruz. Jacob yan yana durmamız şüpheleri üzerimize çekebilirmiş gibi bir tavırla etrafa bakınıyor. Kimsenin bizi izlemediğine emin olunca bir sigara yakıyor.

Demek görülecek diye korktuğu sigarasıymış.

"Hatırlar mısın, öğrenciyken arkadaş grubumuzun en gelecek vaat edeni olduğum söylenirdi. Kendimi yanılmadıklarını kanıtlamaya mecbur hissederdim, ne de olsa hepimiz sevilmeye ve beğenilmeye muhtaç varlıklarız. Ders çalışıp başkalarının beklentilerini karşılamak uğruna fedakârlık edip arkadaşlarımla buluşmazdım. Liseyi en yüksek notlarla bitirdim. Bu arada, seninle neden ayrılmıştık acaba?"

O hatırlamıyorsa ben hiç hatırlamam. Galiba o sıralar herkes herkesle kurlaşmasına rağmen sonuçta kimse kimseyle birlikte olmuyordu.

"Fakülteyi bitirince kamu avukatlığı yaptım; günlerimi haydutlar, masumlar, namussuzlar ve dürüst insanlarla geçirmeye başladım. Başta geçici gördüğüm mesleğim yaşamım boyunca peşini bırakmayacağım bir amaca dönüştü: İnsanlara yardım edebileceğimi gördüm. Müvekkillerimin sayısı giderek arttı. Ünüm bütün şehre yayıldı. Babam ısrarla bu işi bırakıp bir arkadaşının avukat bürosunda çalışmamı söylüyordu. Bense kazandığım her davanın ardından işimi daha çok seviyordum. Arada sırada miadı dolmuş, günümüz dünyasıyla hiç uyuşmayan yasalara rastlıyordum. Şehir yönetiminde birçok değişiklik yapmak gerekiyordu."

Anlattıklarını resmî yaşamöyküsünden hatırlasam da aynı şeyleri onun ağzından duymak bir başkaydı.

"O dönemde meclise adaylığımı koyma vaktinin geldiğine karar verdim. Seçim kampanyamı neredeyse beş kuruş harcamadan yaptık; çünkü babam seçimlere girmeme karşıydı. Sadece müvekkillerim bana destek oldular. Azıcık bir oy farkıyla olsa da seçildim."

Yeniden etrafa bakınıyor. Sigarasını arkasında tutarak gizliyor. Kimsenin bize bakmadığına emin olunca sigaradan derin bir nefes daha çekiyor. Gözleri geçmişine odaklanmış boş boş bakıyor.

"Siyasete atıldığımda günde en fazla beş saat uyumama rağmen hep enerji doluydum. Şimdiyse canım on sekiz saat aralıksız uyumak istiyor. Dünyada edindiğim konumla geçirdiğim balayı sona erdi artık. Geriye sadece herkesi, özellikle de parlak bir geleceğim olması için çılgınca mücadele eden karımı memnun etme ihtiyacı kaldı. Marianne bunun için çok fedakârlık etti, onu hayal kırıklığına uğratamam."

Daha birkaç dakika önce bana yeniden buluşmayı teklif edenle aynı adam mı bu? Acaba istediği sahiden bu mu: Kendisiyle aynı şeyleri hissettiği için onu anlayabilecek biriyle çıkıp dertleşmek mi?

Göz açıp kapayana kadar bin türlü hayal kurmakta üstüme yok. Ben de kendimi Alp Dağları'ndaki bir şalede, ipek nevresimlere sarınmış halde hayal etmekteydim.

"Neyse, bir daha ne zaman buluşabiliriz?"

Sen seç.

İki gün sonraya randevulaşmak istiyor. Yoga dersim olduğunu söylüyorum. Dersi atlatmamı rica ediyor. Zaten sürekli atlattığımı, artık daha disiplinli olacağıma dair kendi kendime söz verdiğimi söylüyorum.

Jacob pes etmişe benziyor. İçimden teklifini kabul etmek geliyor; ama pek hevesli veya müsait görünmesem iyi olur.

Hayatım anlam kazanmaya başlıyor çünkü önceki hissizliğim yerini korkuya bırakıyor. Fırsatları kaçırmaktan korkmak ne büyük mutluluk!

O gün buluşamayacağımızı, cumaya randevulaşmayı tercih ettiğimi söylüyorum. Kabul ediyor, yardımcısını arayıp ajandasına kaydettiriyor. Sigarasını söndürüyor ve vedalaşıyoruz. Bana özel hayatını neden bu kadar açtığını sormuyorum, o da restoranda anlattıklarına önemli olabilecek herhangi bir ekleme yapmıyor.

Bu öğle yemeğinde bir şeylerin değiştiğine inanmayı çok isterdim. İş gereği katıldığım, masaya son derece sağlıksız yiyeceklerin geldiği, şarabı içiyormuş gibi yapsak da kahve söylediğimizde kadehlerimizin halen, neredeyse dokunulmamış izlenimi verecek kadar dolu olduğu yüzlerce öğle yemeğinden hiçbir farkı yoktu.

Herkesi memnun etme ihtiyacı. Satürn'ün dönüşü.

Yalnız değilim.

Gazetecilik sanıldığı kadar şaşaalı bir meslek değildir – hayatımızı ünlülerle röportaj yaparak, rüya gibi seyahatlere davet edilerek, iktidardakilerle temas halinde olarak, büyük paralar kazanarak, uçlarda yaşayanların büyüleyici dünyasının tadını çıkararak geçirmeyiz.

Aslında vaktimizin çoğunu alçak sunta duvarlı bölmelerimizin ardında, telefon ahizesi kulağımıza yapışık halde geçiririz. Mahremiyet hakkı sadece şeflerimize özeldir; duvarları camdan, akvaryumdan bozma odalarında çalışır ve camların ardındaki jaluzileri arada sırada kaparlar. Böyleyken onlar dışarıda olan biteni görse de bizler dudaklarının sudaki bir balık gibi oynayıp durduğuna şahit olmaktan mahrum kalırız.

195 bin nüfuslu Cenevre'de gazetecilik yapmak dünyanın en sıkıcı işidir. Bugünkü baskıya göz atıyorum, aslında içindekileri biliyorum; yabancı ülkelerin ileri gelenlerinin Birleşmiş Milletler binasında sürekli bir araya gelişleri, banka sırlarının açıklanmasına karşı bildik yakınmalar ve "Aşırı şişmanlıktan mustarip adam uçağa nasıl giremedi", "Şehrin eteklerinde kurtlar koyunlara saldırdı", "Saint-Georges'da Kolomb öncesi döneme ait fosiller bulundu" gibi, önem arz eden başkaları ön sayfada, manşette de "Genève adlı gemi restore edilmesinin

ardından her zamankinden de güzel bir halde göle dönüyor" haberi var.

Masalardan birine çağrılıyorum. Öğle yemeğinde buluştuğum siyasetçiden önemli bir bilgi edinip edinemediğimi soruyorlar. Bekleneceği üzere bizi birlikte görmüşler.

Hayır, diye karşılık veriyorum. Resmî yaşamöyküsünde yazanlardan öte bir şey söylemedi. Buluşmamın asıl amacının bir "kaynağa" yaklaşmak olduğunu anlatıyorum, bizlere önemli bilgiler veren kişilere aramızda böyle deriz. (Gazetecinin kaynak ağı genişledikçe verimi ve saygınlığı da artar.)

Şefim başka bir "kaynağa" göre Jacob König'in başka bir siyasetçinin karısıyla ilişki yaşadığından bahsediyor. Ruhumun, depresyonun tahrip ettiği, benimse ilgi göstermediğim, o karanlık köşesinde bir sancı hissediyorum.

Ona daha yaklaşıp yaklaşamayacağımı soruyorlar. Cinsel yaşamıyla pek ilgilenmiyorlar ama aynı "kaynak" onun şantaj kurbanı olabileceğini öne sürmüş. Yabancı bir metalurji şirketinin yöneticileri kendi ülkelerinde vergi sorunu yaşayınca arkalarında iz bırakmamak için harekete geçmişler ama maliye bakanına bir türlü ulaşamıyorlarmış. Biraz "yardıma" ihtiyaçları varmış.

Şefimin söylediklerine bakılırsa asıl hedefimiz meclis üyesi Jacob König değil, siyasi düzenimize yolsuzluk bulaştırmaya çalışanlarmış.

"İşimiz kolay. König'in tarafında olduğumuzu ona söylesek yeter."

İsviçre, sözlerin yeterli görüldüğü nadir ülkelerdendir. Diğer ülkelerin çoğunda avukatlar, şahitler, imzalı evraklar vardır ve gizlilik ihlal edildiği takdirde dava açılacağına dair tehditler savrulur.

"Tek yapmamız gereken bu bilgiyi doğrulayıp fotoğraf bulmak."

Öyleyse Jacob'a yaklaşmam lazım.

"O da kolay. Kaynaklarımızın söylediklerine bakılırsa yeniden randevulaşmışsınız bile. Resmî ajandasına girmiş."

Gören de banka sırlarıyla ünlü bir ülke olmadığımızı sanacak! Herkesin her şeyden haberi var.

"Her zamanki taktiği uygula."

Her zamanki taktik dört aşamadan meydana gelir. 1. Röportaj yapılan kişinin halka açıklamaya istekli olduğu herhangi bir konu hakkında soru sorarak başla. 2. İstediği kadar konuşmasına izin ver, böylece gazetenin kendisine geniş yer ayıracağını düşünecektir. 3. Röportajın sonunda, avucunun içinde olduğumuza iyice ikna olduğunda, ilgimizi çeken *tek* soruyu sor; ama öyle bir sor ki cevap vermezse gazetede kendisine ayrılan yerin daralacağını ve neticede vaktini kaybetmiş olacağını düşünsün. 4. Eğer kaçamak bir cevap verirse soruyu başka sözcüklerle yeniden sor. Cevabının kimseyi ilgilendirmediğini söyleyecektir. Ama en azından bir açıklama koparmak şarttır. Vakaların %99.9'unda röportaj yapılan kişi tuzağa düşer.

Bu kadarı yeterlidir. Röportajın geriye kalanını çöpe at ve gazetede bu son açıklamayı kullan, malzemeleri röportaj yapılan kişiyle değil başka bir önemli konuyla ilgili resmî bilgiler, gayri resmi bilgiler, ismi saklı "kaynaklar" vs. içeren bir habere dönüştür.

"Cevap vermemekte direnirse ona tarafında olduğumuza dair güven ver. Gazetecilik nasıldır bilirsin. İşini iyi yaparsan vakti geldiğinde sana çok faydası dokunur..."

Bilmez miyim. Gazetecilerin kariyerleri de sporcularınki gibi kısacıktır. Şan ve şöhrete erkenden ulaşır ve çok geçmeden yerimizi sonraki nesle bırakırız. Yoluna devam edip yükselenlerin sayısı azdır. Diğerlerininse yaşam koşulları kötüleşir, basını eleştirmeye başlarlar, bloglar açarlar, seminerler verirler ve arkadaşlarını etkilemek uğruna gereğinden fazla vakit harcarlar, ikisinin ortası yoktur.

Ben meslekte hâlâ "gelecek vaat eden" sınıfında görülüyorum. İstenen açıklamaları Jacob'dan koparmayı başarırsam gelecek sene, "Harcamalarda kesintiye gidiyoruz ama yeteneğin ve ismin sayesinde senin başka bir yerde iş bulacağına eminiz," dendiğini duymak zorunda kalmam.

Terfi edilecek miyim acaba? Belki de manşetlere ben karar vereceğim: koyunları yiyen kurdun derdi, yabancı bankerlerin topluca Dubai ve Singapur'a göç etmesi ya da piyasada kiralık ev kalmaması. Önümdeki beş yılın heyecan dolu geçeceğine şüphe yok...

Masama dönüyorum, önemsiz birkaç telefon görüşmesi daha yapıyorum ve internetteki haber portallarında ilginç gördüğüm her şeyi okuyorum. Meslektaşlarım da masalarında aynısını yapıyorlar, herkes tirajımızdaki düşüşü tersine çevirecek bir haberin peşinde. Birisi Cenevre ile Zürih arasındaki demiryolunun üzerinde yabandomuzları bulunduğunu söylüyor. Bundan haber olur mu? Elbette olur. Tıpkı biraz önce telefonda bana barlardaki sigara yasağından yakınan seksenlik kadın gibi. Yazın hadi neyseymiş ama insanlar kış ortasında dışarıda sigara içmeye mecbur bırakılırsa zatürreeden ölenlerin sayısı akciğer kanserinden ölenlerinkini geçecekmiş.

Basılı bir gazetenin yazıişlerinde tam olarak ne mi yapıyoruz?

Artık biliyorum: İşimize bayılıyoruz ve niyetimiz dünyayı kurtarmak.

Lotus pozisyonunda oturuyorum, tütsüm yanmakta, asansörlerde duymaya alıştıklarımıza benzeyen katlanılması güç bir müzik çalıyor ve "meditasyona" başlıyorum. Son zamanlarda çevremdekiler bunu denememi söyleyip duruyorlardı. Özellikle beni "stresli" bulduklarında söylüyorlardı. (Sahiden de öyleydim ama şu anda hayata karşı hissettiğim mutlak ilgisizlikten daha iyiydi.)

"Düşüncelerinizin saflıktan uzak kısımları sizi rahatsız edecek. Hiç kaygılanmayın. Ortaya çıkan bütün düşünceleri kabul edin. Onlara karşı koymayın."

Harika, ben de tam böyle yapıyorum. Kibir, hayal kırıklığı, kıskançlık, nankörlük, yararsızlık gibi zehirli duyguları kendimden uzaklaştırıyorum. Açılan boşluğu tevazu, minnet, anlayış, vicdan ve zarafetle dolduruyorum.

Son zamanlarda şekerin dozunu kaçırdığımı, bunun hem bedene hem ruha zararlı olduğunu düşünüyorum.

Karanlığı ve ümitsizliği kenara itiyorum, iyiliğin ve ışığın gücünü yardıma çağırıyorum.

Jacob'la öğle yemeğim en ince ayrıntısına kadar aklımda canlanıyor.

Diğer öğrencilerle birlikte bir mantrayı tekrarlıyorum.

Yazıişleri şefimin söylediklerinin doğru olup olmadığını merak ediyorum. Acaba Jacob sahiden de karısını aldattı mı? Sahiden de şantaja uğradı mı?

Yoga öğretmeni ışıktan bir zırhın bedenimizi sardığını hayal etmemizi söylüyor.

"Her günümüzü bu zırhın bizleri tehlikelerden koruyacağına güvenerek geçirmeliyiz, böylece varoluşun iki yönlülüğüne bağlı kalmaktan kurtulacağız. Üzerinde sevincin ve acının değil, yalnızca derin bir huzurun bulunduğu orta yolu aramalıyız."

Yoga derslerini neden habire atlattığımı anlamaya başlıyorum. Varoluşun iki yönlülüğü mü? Orta yol mu? Bütün bunlar bana –doktorumun ısrar ettiği gibi– kolesterolü 70 seviyesinde tutmak kadar doğaya aykırı geliyor.

Zırhın görüntüsü zihnimde sadece birkaç saniye tutunabiliyor, ardından binlerce parçaya ayrılıyor ve yerini Jacob'un karşısına çıkan, istinasız her güzel kadından hoşlandığına dair duyduğum kesinliğe bırakıyor. Peki ben nereden bulaştım bu işe?

Egzersizler devam ediyor. Pozisyon değiştiriyoruz ve öğretmen, her derste yaptığı gibi, birkaç saniyeliğine de olsa "zihnimizi boşaltmaya" çalışmamızı söylüyor.

Oysa en çok korktuğum ve en çok yakama yapışan boşluğun ta kendisi. Öğretmen benden istediği şeyi bir bilse... Neyse, yüzyıllardır var olan bir yöntemi eleştirmek bana düşmez.

Ne işim var burada?

Buldum: "Stres atıyorum."

Yine gecenin bir yarısı uyanıyorum. İyiler mi diye bakmak için çocukların odasına gidiyorum – bu takıntı gibi bir şeydir ama her ebeveyn arada sırada yapar.

Yatağıma dönüp bakışlarımı tavana dikiyorum.

Ne yapmak istediğimi veya istemediğimi dile getirecek gücüm yok. Neden yogayı bırakıp kurtulmuyorum? Neden bir psikiyatra gidip sihirli haplardan almaya başlamıyorum? Neden kendime hâkim olup Jacob'u düşünmeyi bırakamıyorum? Hem o, Satürn ve yetişkinlerin eninde sonunda yüzleşmek durumunda kaldıkları hayal kırıklıkları hakkında konuşmaktan başka bir şey istediğini bir kez olsun ima etmedi ki.

Dayanamıyorum artık. Hayatım aynı sahnenin sonsuza kadar tekrarlanıp durduğu bir filme benziyor.

Fakültede gazetecilik okurken birkaç psikoloji dersi almıştım. Derslerden birinde profesörümüz (oldukça ilginç bir adamdı, hem derste hem de yatakta) sorgulananların beş aşamadan geçtiğini anlatmıştı: savunma, kendini övme, kendine güvenme, itiraf ve olanları düzeltme denemesi.

Bense hayatta doğrudan kendine güven aşamasından itirafa geçtim. Saklı kalmalarını tercih ettiğim şeyleri kendi kendime söylemeye başlıyorum.

Örneğin: Dünya durdu.

Sadece benimki değil, çevremdeki herkesin dünyası durdu. Arkadaşlarla buluşunca hep aynı şeylerden, aynı kişilerden bahsediyoruz. Konuşmalarımız yeni gibi görünse de aslında her şey bir zaman ve enerji kaybından ibaret. Hayatlarımızın ilginçliğini kaybetmediğini göstermeye çalışıyoruz.

Herkes kendi mutsuzluğunu idare etmeye çalışıyor. Sadece Jacob ile ben değil, büyük ihtimalle kocam da aynı durumda. Tek farkı onun hiçbir şeyi belli etmemesi.

İçinde bulunduğum tehlikeli itiraf aşamasında bütün bunları daha net görmeye başlıyorum. Kendimi yalnız hissetmiyorum. Çevremdekiler de benimle aynı dertlerden mustaripler ve hepimiz, hayatımız öncekinden farksızmış gibi davranıyoruz. Ben de. Komşum da. Büyük ihtimalle şefim ve gece yanımda uyuyan adam da.

Belli bir yaştan sonra kendimizi güvende ve yaptıklarımızın doğruluğundan emin gösteren bir maske takıyoruz. Zamanla bu maske yüzümüze yapışıyor ve bir daha çıkmıyor.

Çocukken ağlarsak ilgi, üzüntümüzü belli edersek de teselli göreceğimizi öğreniyoruz. İnsanları gülümsememizle ikna edemediğimizde gözyaşlarımızın mutlaka işe yarayacağını biliyoruz.

Büyüyünce ise –banyoda kimselere duyurmadan ağladıklarımızı saymazsak– çocuklarımızın yanı haricinde ne ağlıyoruz ne de gülüyoruz. İnsanlar bizi savunmasız görüp bundan faydalanmak isteyebilir diye duygularımızı belli etmiyoruz.

Uyku her derde deva.

Kararlaştırdığımız günde Jacob'la buluşuyorum. Bu kez mekânı ben seçiyorum ve bakımsızlığına rağmen güzelliğinden bir şey kaybetmeyen Parc des Eaux-Vives'de buluşuyoruz; parkın içinde yine belediye tarafından işletilen berbat bir lokanta var.

Bir defasında oraya bir *Financial Times* muhabiriyle gitmiştik. Martini sipariş etmiştik ama garson bize Cinzano marka vermut getirmişti.

Bu kez öğle yemeğine oturmayacağız – çimenlerin üzerinde sandviç yemekle yetineceğiz. Etrafımızı rahatça görebilecek şekilde oturduğumuz için Jacob sigarasını istediği gibi içebilir. Gelen geçeni sorunsuzca görebiliyoruz. Bu kez açıksözlü davranmaya kararlıyım: formalite icabı ettiğimiz (hava, iş, "kulüp nasıl geçti", "bu gece gideceğim" gibi) lafların ardından ona ilk sorduğum şey, evlilik dışı bir ilişkisi dolayısıyla kendisine şantaj yapılıp yapılmadığı oluyor.

Soruya şaşırmıyor. Sadece cevabı gazeteci kimliğimle mi yoksa arkadaş kimliğimle mi dinleyeceğimi soruyor.

Şimdilik gazeteci kimliğimle. İddiayı doğrularsa gazetemizin arkasında olacağına dair söz verebileceğimi söylüyorum. Özel hayatıyla ilgili hiçbir şey yayımlamayacağız ama şantajcıların üstüne gideceğiz.

"Evet, bir arkadaşımın karısıyla ilişkim oldu, arkadaşımı işin dolayısıyla tanıyorsundur herhalde. Fikir arkadaşımdan çıktı; çünkü ikisi de evliliklerinden sıkılmışlardı. Anlıyor musun?"

Fikir kocasından mı çıktı? Hayır, anlamıyorum ama kafamı olumlu anlamda sallıyorum ve üç gece önce olanları, birbiri ardına yaşadığım orgazmları hatırlıyorum.

İlişki hâlâ devam ediyor mu?

"Hevesimizi kaybettik. Karımın haberi var. Bazı şeyleri saklamak mümkün değildir. Nijeryalı birileri birlikte fotoğraflarımızı çekmiş, basına vermekle tehdit ediyorlar ama bu haber kimsenin ilgisini çekmeyecektir."

Nijerya, adı yolsuzluğa karışan metalurji şirketinin bulunduğu ülke. Karısı onu boşanmakla tehdit etmemiş mi?

"Birkaç gün surat astı ama daha öteye gitmedi. Evliliğimizin geleceği için büyük planlar kuruyor, sadakat ise bu planların parçası değil sanırım. Sırf önem veriyormuş gibi görünmek için biraz kıskançlık etti ama rol yapmayı hiç beceremez. İlişkimi itiraf ettikten birkaç saat sonra dikkatini başka şeye vermişti bile."

Görünüşe bakılırsa Jacob benimkinden oldukça farklı bir dünyada yaşıyor. Kadınlar kıskançlık duymuyor, kocalar karılarına başkalarıyla ilişki yaşamaları için fikir veriyor. Bunları yaşamayarak çok mu şey kaybediyorum acaba?

"Zaman her şeyin ilacıdır. Sence de öyle değil mi?"

Olabilir. Birçok durumda zaman dertleri artırabilir de. Bana olan da bu. Ama ben röportaj yapmak için buradayım, röportaj vermek için değil, dolayısıyla bir şey demiyorum. Jacob konuşmayı sürdürüyor:

"Nijeryalılar bunu bilmiyorlar. Maliye Bakanlığı'yla kararlaştırdım, onları tuzağa düşüreceğiz. Tıpkı bana yaptıkları gibi her şeyi kayda alacağız."

O anda makalem gözlerimin önünde buhar olup gidiyor, her geçen gün daha da dibe batan sektörümüzde yükselme fırsatımdı bu. Anlatacak hiçbir şeyim kalmıyor: ne zina ne şantaj ne de yolsuzluk. Her şey İsviçre'nin kalite ve kusursuzluk standartlarına uygun.

"Sormak istediklerini sordun mu? Konuyu değiştirebilir miyiz?"

Evet, her şeyi sordum. Doğrusu aklıma başka konu da gelmiyor.

"Seninle neden tekrar buluşmak istediğimi sormayı unutmadın mı acaba? Mutlu olup olmadığını neden sorduğumu? Seni bir kadın olarak ilgi çekici bulduğumu düşünüyor musun? Artık ergenlik çağında değiliz. Ofisimde yaptıklarının beni çok şaşırttığını ve ağzına boşalmaktan büyük zevk aldığımı itiraf ediyorum ama bu sebep burada olmamız için yeterli değil hem aynı şeyi böyle halka açık bir yerde yapamayız. Öyleyse seninle neden tekrar buluşmak istediğimi öğrenmek istemiyor musun?"

Mutlu olup olmadığımı sorarak beni hazırlıksız yakalayan sürpriz yumağı ışıklar saçarak başka karanlık köşeleri aydınlatmaya devam ediyor. Acaba Jacob böyle sorular sormanın yanlış olduğunu anlamıyor mu?

Sen anlatmak istersen isterim, diye karşılık veriyorum, onu kışkırtmak ve karşısında kendimi güvensiz hissetmeme yol açan o ukala tavırlarını yerle bir etmek amacıyla.

Ve ekliyorum: Elbette beni yatağa atmak istiyor. Karşılığında "hayır" cevabını alan ne ilk ne de tek kişi.

Başını sallıyor. Gayet rahat bir hava takınıp önümüzdeki normalde gayet sakin olan gölde beliren dalgalar hakkında bir şeyler söylüyorum. Dünyanın en ilginç şeyiymiş gibi gözlerimizi göle dikiyoruz.

Çok geçmeden aradığı sözcükleri buluyor:

"Herhalde fark etmişsindir, sana mutlu olup olmadığını sormamın sebebi sende kendimden bir şeyler bulmamdı. Benzerlikler insanlara çekici gelir. Belki sen bende aynı şeyi görmedin ama olsun. Belki zihnin yorgun düşmüştür, kendini var olmayan ve var olmadığını bizzat bildiğin, dertlere kaptırmışsındır, bu dertler bütün enerjini tüketiyordur."

Öğle yemeğimiz sırasında ben de aynı şeyi düşünmüştüm: Acı çeken ruhlar birbirlerini tanır ve canlıları korkutmak için bir araya gelirler.

"Benim hissettiklerim de seninkilerle aynı," diye sürdürüyor. "Tek fark, benim dertlerimin belki de daha somut olması. Çözemediğim şeyler yüzünden kendimden nefret etmeye başladığımı fark ediyorum; çünkü işim bir sürü insanın takdirine bağlı. Bu yüzden kendimi yararsız hissediyorum. Doktora gitmeyi düşündüm ama karım karşı çıktı. Durum ortaya çıkarsa kariyerimin mahvolacağını söyledi. Ben de ona hak verdim."

Demek bu konuları karısıyla konuşuyor. Belki bu gece ben de kocamla konuşmaya çalışırım. Kulübe gitmek yerine onu karşıma alıp her şeyi anlatırım. Nasıl tepki verir acaba?

"Hayatta birçok hata yaptığımı biliyorum. Şu anda dünyaya başka bir gözle bakmaya çalışıyorum ama işe yaramıyor. Senin gibi birilerini görünce, ki benzer durumlardaki birçok kişiyle karşılaştım, yanaşıp dertleriyle nasıl başa çıktıklarını anlamaya çalıştım. Yardıma ihtiyaç duyduğumu ve ihtiyacımı karşılamamın tek yolunun bu olduğunu anla lütfen."

Demek buymuş. Cinsellikle, Cenevre'nin gri göğünü güneş açmış gibi parıldatan büyük bir aşk macerasıyla falan ilgisi yokmuş. Her şey alkoliklerin ve madde bağımlılarının aralarında düzenlediklerinden farksız bir destek terapisinden ibaretmiş.

Ayağa kalkıyorum.

Gözlerine bakarak aslında çok mutlu olduğumu, kendisinin ise bir an önce bir psikiyatra başvurmasını söylüyorum. Karısının hayatındaki her şeyi kontrol etmesine izin veremez. Ayrıca doktor-hasta ilişkisinin mahremiyeti dolayısıyla kimsenin de haberi olmaz. Bir arkadaşım ilaç kullanmaya başladıktan sonra iyileşti. Sahiden sırf yeniden seçilmek uğruna hayatının geri kalanını depresyonun hayaletiyle boğuşarak geçirmek istiyor mu? Geleceğe dair planı bu mu?

Söylediklerimi duyan var mı diye etrafına bakınıyor. Ben aynısını konuşmadan önce yapmıştım, yalnız olduğumuzu biliyorum – parkın üst bölümündeki lokantanın arkasındaki birkaç torbacıyı saymazsak tabii. Ama onların da bize aldırdığı yok.

Durmaksızın konuşuyorum. Konuştukça kendi kendime kulak verip yardım ettiğimi fark ediyorum. Olumsuzluğun kendinden beslendiğini söylüyorum. Kendisini neşelendirecek bir şeyler yapmasını söylüyorum; mesela yelken yapmak, sinemaya gitmek, kitap okumak.

"Hayır, mesele bu değil. Sen beni anlamıyorsun." Tepkimin karşısında şaşkına dönmüş gibi bir hali var.

Bal gibi de anlıyorum. Her gün bir bilgi yağmuruna tutuluyoruz: makyajlı ergen kızların kadın kılığına girerek ebedî güzellik vaat eden mucizevi güzellik ürünlerini sundukları reklam afişleri; evlilik yıldönümlerini kutlamak için Everest'e tırmanan ihtiyar bir çift; yeni model masaj aletlerinin ilanları; zayıflama ürünleriyle dolup taşan eczane vitrinleri; hayatı olduğundan farklı gösteren filmler; müthiş sonuçlar vaat eden kitaplar; kariyerde yükselmek ya da iç huzuru bulmak konusunda insanlara öğütler veren uzmanlar. Bütün bunlar yüzünden kendimizi yaşlı hissediyoruz, maceradan yoksun yaşamlar sürüyoruz, bu esnada cildimiz pörsüyor, fazla kilolar kontrolsüzce birikmeye başlıyor, sırf "olgunluk" adını verdiğimiz şeye ters diye duygularımızı ve arzularımızı bastırmaya zorlanıyoruz.

Maruz kaldığın bilgileri ayıkla. Gözlerinle kulaklarına birer süzgeç takıp sadece kendini kötü hissetmemeni sağlayacak şeylerin geçmesine izin ver çünkü günlük işler zaten kendimizi kötü hissetmemiz için yeterli. Beni de işyerimde eleştirip arkamdan konuşmadıklarını mı sanıyorsun? Hem de neler konuşuyorlar! Ama ben sadece kendimi geliştirmemi ve hatalarımı düzeltmemi sağlayacak şeylere kulak vermeyi seçtim. Geriye kalan her şeyi duymazlıktan geliyor ya da geri çeviriyorum.

Bugün buraya zina, şantaj ve yolsuzlukla ilgili karmaşık bir hikâye duymak için geldim. Ama sen her sorumdan ustaca sıyrıldın. Bunu göremeyecek kadar kör müsün?

Fazla düşünmeden yeniden yanına oturuyorum, kaçmasın diye başını ellerimin arasına alıyorum ve dudaklarını uzun uzun öpüyorum. Bir an tereddüt etse de hemen öpücüğüme karşılık veriyor. İçimdeki bütün âcizlik, kırılganlık, başarısızlık ve güvensizlik hislerinin yerini muazzam bir coşku alıyor. Bir anda akıllandım, durumun hâkimiyetini ele geçirdim ve önceleri sadece hayallerimi süsleyen bir şey yapmaktayım. Bu bilinmeyen topraklara ve tehlike dolu denizlere açılıyorum, piramitleri yıkıp yerlerine tapınaklar kuruyorum.

Yeniden düşüncelerimin ve eylemlerimin efendisi haline geliyorum. Sabah gözüme imkânsız gelen şeyi daha akşam olmadan gerçekleştiriyorum. Hislerim geri geldi, sahip olmadığım bir şeyi sevebilirim, rüzgâr beni rahatsız etmekten çıkıp bir nimete dönüşüyor, bir tanrı yüzümü okşuyor adeta. Ruhum geri geldi.

Jacob'u öptüğüm süre boyunca yüzlerce sene geçti sanki. Yüzlerimiz yavaşça birbirinden ayrılıyor, Jacob tatlılıkla başımı okşuyor, gözlerimizin derinliklerine dikiyoruz bakışlarımızı.

Ve daha bir dakika önce orada bulunan şeyle yeniden karşılaşıyoruz.

Mutsuzluk.

Hem artık yalnız değil, yanında –en azından benim için– her şeyi daha da fenalaştıracak bir aptallık ve sorumsuzluk var.

Birlikte yarım saat daha geçiriyoruz, hiçbir şey olmamış gibi yaşadığımız kentten ve sakinlerinden bahsediyoruz. Parc des Eaux-Vives'e geldiğimizde nasıl da samimi görünüyorduk, öpüşme ânında adeta birleştik, şimdiyse iki yabancı gibi herkes fazla utanmadan kendi yoluna gidene dek vakit doldurmak için gevezelik ediyoruz.

Kimse bizi görmedi – bir lokantada değiliz. Evliliklerimiz güvende.

Özür dilemeyi aklımdan geçiriyorum ama bunun gerekmediğinin farkındayım. Altı üstü bir öpücüktü neticede.

Kendimi zafer kazanmış gibi hissetmediğimi söylersem yalan olur ama en azından kendime az da olsa hâkim olmayı başardım. Evde her şey aynı: Önceden berbattım, şimdiyse iyiyim ama kimsenin bir şey sorduğu yok.

Ben de Jacob König'in yaptığını yapacağım: Kocama ruh halimin tuhaflığından bahsedeceğim. Ona sırlarımı açacağım ve bana yardım edebileceğine eminim.

Ama bir yandan da bugün her şey öyle güzel ki! Doğru düzgün anlayamadığım meseleleri ortaya dökerek böyle güzel bir günü rezil etmenin ne âlemi var? Mücadeleye devam ediyorum. Hissettiklerimin, "mutsuzluk saplantısı"ndan bahseden internet sayfalarının dediği gibi bedenimdeki bazı kimyasalların eksikliğiyle alakalı olduğuna inanmıyorum.

Bugün mutsuz değilim. Hayatın olağan dönemleri bunlar. Lisedeki arkadaş grubumun düzenlediği "okula veda" partisini hatırlıyorum: İki saat durmadan gülmüş, sonunda da deliler gibi ağlamıştık; çünkü artık bir daha aynı şekilde bir araya gelmeyeceğimizi anlamıştık. Mutsuzluğumuz birkaç gün veya hafta sürmüş olmalı, tam hatırlayamıyorum. Ama hatırlayamamamın önemli bir anlamı var: Her şeyin geçtiğini gösteriyor. Otuz yaşı devirmek kolay değil, belki de ben buna hazırlıklı değilim.

Kocam çocukları yatırmak için üst kata çıkıyor. Bense kendime bir kadeh şarap doldurup bahçeye çıkıyorum.

Hava hâlâ rüzgârlı. Biz İsviçreliler bu rüzgârı iyi biliriz; esmesi üç, altı veya dokuz gün sürer. İsviçre'ye göre daha romantik bir ülke olan Fransa'da bu rüzgâra mistral denir ve bulutları dağıtıp havayı soğutur. Bulutların tepemizden çekilmesinin vakti gelmişti zaten – yarın güneşli bir gün olacak.

Parktaki konuşmamızı, öpüşmemizi hatırlıyorum. Hiçbir pişmanlık duymuyorum. Daha önce hiç yapmadığım bir şey yaptım ve bu sayede beni tutsak eden duvarları devirmeye başladım.

Jacob König'in ne düşündüğünün önemi yok. Ben hayatımı başkalarını memnun etmeye çabalayarak geçiremem.

Şarabımı bitirip kadehimi tekrar dolduruyorum, aylardır hissizlikten ve yararsızlıktan başka şeyler hissedebildiğim bu saatlerin tadını çıkarıyorum.

Kocam dışarı çıkmak için giyinmiş halde aşağı iniyor ve hazırlanmamın ne kadar süreceğini soruyor. Bu gece dans etmek için dışarı çıkacağımızı unutmuştum.

Giyinmek için koşar adım yukarı çıkıyorum.

Aşağı indiğimde Filipinli dadımızın geldiğini ve kitaplarını salondaki masaya yaydığını görüyorum. Çocuklar biraz önce yattığı için dadının kafası rahat, vaktini ders çalışmaya ayırabiliyor – galiba televizyonla hiç arası yok.

Çıkmaya hazırız. En güzel elbisem üstümde; rahat bir ortamda kokona gibi görünecek olsam da önemi yok. Canım eğlenmek istiyor.

Rüzgârın gürültüsü pencereyi titretince uyanıyorum. Kocamın pencereyi sıkıca kapatmadığını düşünüyorum. Yataktan kalkıp her geceki merasimimi gerçekleştirmem, yani çocukların odasına gidip iyi olduklarına emin olmam lazım.

Ancak bir şey bana engel oluyor. Acaba içkinin etkisi mi bu? Gündüz vakti gölde gördüğüm dalgalar, dağılan bulutlar ve o sırada yanımda bulunan kişi aklıma geliyor. Gece kulübünü hayal meyal hatırlıyorum: İkimiz de müzikleri berbat, ortamı sıkıcı bulduk ve yarım saat geçmeden eve dönüp yine bilgisayarlarımıza ve tabletlerimize gömüldük.

Peki ya bugün öğleden sonra Jacob'a söylediklerim? Vaktimin boş olmasından faydalanıp kendim hakkında da bir şeyler düşünmemeli miyim?

Ama bu oda beni boğuyor. Kusursuz kocam yanı başımda uyumakta; görünüşe bakılırsa rüzgârın sesini duymamış. Jacob'un karısıyla yan yana yattığını, bütün hissettiklerini ona anlattığını düşünüyorum (benden bahsetmediğine eminim), kendini yalnız hissettiğinde yardımına koşacak birine sahip olduğu için içi rahat olmalı. Karısı hakkında anlattıklarına pek inanmıyorum – doğru olsaydı çoktan ayrılmışlardı. Neticede çocukları bile yok!

Mistral rüzgârının Jacob'u da uyandırıp uyandırmadığını, şimdi karısıyla neler konuşuyor olabileceğini merak ediyorum. Nerede oturuyorlar? Bunu öğrenmek kolay. Gazetedeki işim sayesinde bütün bu bilgiler elimin altında. Bu gece sevişmişler midir? Karısını tutkuyla becermiş midir? Kadın zevkle inlemiş midir?

Onunla birlikteyken hep beklenmedik şeyler yapıyorum. Oral seks, hayat dersleri, parkta öpüşmeler... Kendimi tanımakta zorlanıyorum. Jacob'la birlikteyken beni ele geçiren bu kadın kim?

Kışkırtıcı bir genç kızdan farksız... Kaya gibi sağlam, Leman Gölü'nün sakin sularını çalkalayan rüzgâr gibi güçlü bir kız. Okuldan arkadaşlarımla buluştuğumuzda herkesi eskisinden farksız buluyoruz – gerçi sınıfın en kısa boylusu irileşip şişmanlamış, sınıfın en güzeli dünyanın sonu bir adamla evlenmiş, sınıfta içtikleri su ayrı gitmeyenler birbirinden uzaklaşmış, senelerdir haberleşmemiş oluyorlar.

Oysa Jacob'la birlikteyken, en azından bu yeniden buluşmamızın başlangıcındayken, zamanda geri gidebiliyor, 16 yaşındaki, olgunluğun taşıyıcısı Satürn'ün dönüşü henüz uzakta olduğu için yaptıklarının sonuçlarından korkmayan o genç kıza dönüşebiliyorum.

Uyumaya çalışıyorum ama beceremiyorum. Uyumadan bir saat daha saplantı halinde Jacob'u düşünüyorum. Arabasını yıkayan komşumun hayatını "anlamsız" bulduğumu, yararsız işlerle uğraştığını düşündüğümü hatırlıyorum. Oysa yaptığı yararsız değildi: Büyük ihtimalle eğleniyordu, egzersiz yapıyordu, düşüncelere dalıp hayatındaki küçük ayrıntıları lanet değil nimet olarak görüyordu.

İşte en büyük eksiğim bu: Rahatlayıp hayatın tadını çıkarmak. Bütün gün Jacob'u düşünüp duramam. Hayatımdaki mutluluk eksikliğini daha somut bir şeyle, bir adamla dolduruyorum. Ama asıl derdim bu değil. Kalkıp psikiyatra gitsem bana derdimin başka olduğunu söyleyeceğine eminim. Lityumun eksik, serotonin seviyende azalma var, falan diyecektir. Dertlerim Jacob'un hayatıma girmesiyle başlamadı, hayatımdan çıkmasıyla da sona erecek değil.

Ama bir türlü aklımdan çıkaramıyorum. Öpüşme ânımız zihnimde onlarca, yüzlerce kez tekrarlanıyor.

Bilinçaltımın düşsel bir derdi gerçek bir derde dönüştürdüğünü fark ediyorum. Hep böyledir zaten.

O herifi bir daha asla görmek istemiyorum. Şeytan tarafından gönderilmiş, zaten kırılgan olan hayatımı daha da dengesizleştiriyor. Doğru düzgün tanımadığım birine nasıl bu kadar çabuk âşık olabilirim? Hem âşık olduğumu kim söylüyor? İlkbahardan beri dertliyim, o kadar. O zamana kadar her şey yolunda olduğuna göre yeniden yoluna girmemesi için hiçbir sebep göremiyorum.

Önceden de kendi kendime söylediğim şeyi tekrarlıyorum: Bu geçici bir dönem, o kadar.

Saplantıya kapılıp bana iyi gelmeyen şeylerin başıma üşüşmesine izin vermemeliyim. Öğleden sonra ona da aynı şeyi söylemedim mi?

Dişimi sıkıp krizin geçmesini beklemeliyim. Aksi takdirde sahiden gönlümü kaptırabilir, onunla ilk öğle yemeğimizde bir anlığına hissettiklerimi ömür boyu hissedebilirim. Şayet böyle olursa hislerim artık içime sığmayacak. Istırabım ve acım her yana dağılacak.

Yattığım yerde bana sonsuzluk gibi gelen bir süre boyunca dönüp durduktan sonra nihayet uykuya dalıyorum ve bana sadece bir saniye gibi gelen bir sürenin ardından kocam tarafından uyandırılıyorum. Hava günlük güneşlik, gökyüzü masmavi ve mistral hâlâ esmekte.

"Kahvaltı hazır. Çocukları ben hallederim."

Hayatta bir kez olsun rolleri değişsek nasıl olur? Sen mutfağa git, ben çocukları okula hazırlayayım.

"Bana meydan mı okuyorsun? Yıllardır tattığın en lezzetli kahvaltıyı hazırlayacağım, ona göre."

Meydan okumuyorum, sadece biraz değişiklik arıyorum. Hem sen kahvaltımı beğenmiyor musun?

"Lütfen, tartışmak için saat erken. Dün gece içkiyi fazla kaçırdığımızın farkındayım, gece kulübüne gidecek yaşı geçtik. Tamam, çocukları sen hazırla madem."

Ben bir şey diyemeden odadan çıkıyor. Ceptelefonumu alıp bu yeni günde göğüsleyeceğim işleri gözden geçiriyorum.

Gecikmeden halledilmesi gereken işler listeme bakıyorum. Bu liste uzadıkça günüm de üretken geçer. Aldığım notların çoğunun önceki günden, hatta önceki haftadan kalma olduğunu fark ediyorum, hâlâ halletmemişim. Listem hep böyle uzayıp gider ve arada bir beni öyle gerer ki her şeyi silip en baştan başlamaya karar veririm. Ve listedeki hiçbir şeyin önem taşımadığını ancak bu sayede fark ederim.

Bugünse aklımın bir köşesinde, listeme eklemesem de unutmayacağımı bildiğim bir şey var: Jacob König'in oturduğu yeri öğreneceğim ve fırsatını bulup arabayla evinin önünden geçeceğim.

Aşağı indiğimde kusursuz bir kahvaltı sofrasıyla karşılaşıyorum – meyve salatası, zeytinyağı, çeşit çeşit peynirler, kepekli ekmek, yoğurt, erik. Ayrıca masada çalıştığım gazetenin bir nüshası duruyor, zarifçe tabağımın soluna yerleştirilmiş. Basılı yayımları takip etmeyi uzun süre önce bırakan kocamsa iPad'ini kurcalamakta. Büyük oğlumuz "şantaj" sözcüğünün anlamını soruyor. Başta neden sorduğunu anlamıyorum, derken gözüm gazeteye takılıyor. Manşette Jacob'un kocaman bir fotoğrafı var, gazeteye buna benzer birçok resim göndermişti. Yüzünde düşüncelere dalmış bir ifade. Resmin yanındaki manşet şöyle: "Meclis üyesinden şantaj ihbarı".

Ben böyle bir haber hazırlamadım. Hatta ben daha gazeteye bile dönmemişken yazıişleri şefi arayıp buluşmamı iptal edebileceğimi çünkü Maliye Bakanlığı'ndan bir bildiri geldiğini ve hemen işe koyulduklarını söylemişti. Buluşmayı gerçekleştirdiğimi, beklediğimden daha çabuk bittiğini ve "bildik yöntemleri" kullanmama gerek kalmadığını söylemiştim. Hemen beni yakındaki bir semte gönderip (semt diyorum ama aslında "şehir" sayılır, kendi belediyesi bile vardır) kullanım tarihi geçmiş yiyecekler sattığı ortaya çıkan bir bakkal dükkânına karşı yapılan protestoları izlememi istemişlerdi. Bakkalla, semt sakinleriyle, hatta semt sakinlerinin arkadaşlarıyla konuşmuştum; halkın bu habere bir siyasetçinin ihbarından daha fazla ilgi göstereceğini biliyordum. Sahiden de bu haber birinci sayfadan verilmişti ama daha alttaydı: "Bakkala ceza. Şimdilik zehirlenen yok."

Kahvaltı sofrasında Jacob'un fotoğrafını görmek beni müthiş rahatsız ediyor.

Kocama akşam konuşmamız gerektiğini söylüyorum.

"Çocukları anneme bırakıp yemeğe çıkarız," diye karşılık veriyor. "Ben de seninle biraz vakit geçirmek istiyorum. Baş başa. Nasıl bu kadar sevildiğini bir türlü anlamadığımız şu korkunç şarkının gürültüsünden uzak bir yerde."

Bir bahar sabahıydı.

Ben okul bahçesinin genelde pek gitmediğim bir köşesindeydim. Okulun duvarındaki tuğlalara dalıp gitmiştim. Bende bir tuhaflık olduğunun farkındaydım.

Öteki çocuklar beni "üstün" buluyorlardı, ben de bunun doğru olmadığını göstermeye çabalamıyordum. Tam tersi! Annemden bana pahalı giysiler almasını ve beni okula lüks arabasıyla bırakmasını istiyordum.

Yalnız başıma olduğumun farkına vardığım okul bahçesindeki o güne dek hep böyle davranmıştım. Belki de hayatım boyunca yalnız kalacaktım. Sadece sekiz yaşında olmama rağmen değişmek ve ötekilere aslında onlardan farksız olduğumu söylemek için geciktiğimi düşünüyordum.

* * *

Mevsimlerden yazdı.

Lisedeydim ve erkek çocuklar, araya ne kadar mesafe koymaya çalışsam da, hep bana asılmanın bir yolunu buluyorlardı. Diğer kızlar kıskançlıktan çatlıyorlar ama belli etmemeye çalışıyorlardı – tam tersi, benim burun kıvırdığım erkekler kendilerine kalsın diye benimle arkadaşlık edip yanımda gezinmek istiyorlardı.

Bense herkese burun kıvırıyordum çünkü dünyama girmeyi başaranların aslında hiçbir ilginç yanım bulunmadığını keşfedeceklerini biliyordum. Gizemli tavırlar takınıp asla erişemeyecekleri harikalarla doluymuşum izlenimi vermek işime geliyordu.

Eve dönerken yolun kenarında yağmur sayesinde bitmiş birkaç mantar gördüm. Zehirli oldukları bilindiğinden kimse elini bile sürmemişti. Bir an için onları ağzıma atmayı düşündüm. Aşırı mutsuz ya da mutlu değildim – sadece ailemin dikkatini çekmek istiyordum.

Mantarlara dokunmadım.

* * *

Bugün mevsimlerin en güzeli sonbaharın ilk günü. Yakında bütün yapraklar renk değiştirecek ve ağaçlar birbirlerinden farklı hale gelecek. Otoparka giderken normalde hiç geçmediğim bir sokağa sapmaya karar veriyorum.

Mezunu olduğum okulun önünde duruyorum. Tuğla duvar hâlâ yerli yerinde. Hiçbir şey değişmemiş, artık yalnız olmadığım gerçeği hariç. İki erkeğin hatırasını peşimden sürüklüyorum: Biri asla ulaşamayacağım bir adam, ötekiyse bu akşam yemeğinde hoş, özel ve özenle seçilmiş bir yerde buluşacağım bir adam.

Kuşun biri göğü yararcasına süzülüyor, rüzgârla şakalaşıyor sanki. Bir o yana bir bu yana gidiyor, yükselip alçalıyor, bir türlü çözemediğim bir mantığa göre hareket ediyor adeta. Belki de mantıklı olan tek şey şu dünyada hoşça vakit geçirmektir.

* * *

Ben kuş değilim. Hayatımı eğlenerek geçiremem, oysa bizden çok daha az parası olan bir sürü arkadaşım seyahatten seyahate, restorandan restorana gezerler. Böyle bir insana dönüşmeyi çok denedim ama beceremedim. İşime kocam sayesinde girdim. Çalışarak, kendimi meşgul ederek, bir işe yaradığımı hissederek hayatımı aklıyorum. Bir gün çocuklarım anneleriyle gurur duyacak, çocukluk arkadaşlarımsa hayal kırıklığına uğrayacaklar çünkü onlar kendilerini evlerine, çocuklarına ve kocalarına adarken benim somut bir şey inşa etmiş olduğumu görecekler.

Herkes başkalarını etkilemeyi böyle arzular mı, bilmem. Ben arzularım, arzuladığımı da hiç inkâr etmem – çünkü böyle yapmak bana hep iyi gelmiş, hayatta ilerlememi sağlamıştır. Gereksiz riskler almadıkça, tabii. Dünyamı tıpkı bugünkü haliyle muhafaza etmeyi başardıkça...

Gazeteye gelir gelmez devletin dijital arşivini tarıyorum. Göz açıp kapayana dek Jacob König'in hem adresine ulaşıyorum hem de ne kadar para kazandığı, hangi okullara gittiği, karısının ismi ve iş adresi gibi bilgilere.

Kocam işyerimle evimizin arasında kalan bir restoran seçmiş. Oraya daha önce de gitmiştik. Yemekleri, içecekleri ve ortamı beğenmiştim – ama daima ev yemeklerini tercih ederim. Sadece "sosyalleşmem" şart olduğunda dışarıda yemek yer, başka zamanlarda lokantalardan uzak dururum. Yemek yapmaya bayılırım. Ailemle vakit geçirmeye, onları koruduğumu, onların da beni koruduğunu hissetmeye bayılırım.

Sabahki listemde henüz yerine getirmediğim işler arasında "arabayla Jacob König'in evinin önünden geçmek" yer alıyor. Dürtümü dizginlemeyi başardım. Halihazırda kafamı kurcalayan kuruntularımın üzerine bir de karşılık görmemiş aşkıma ait gerçek dertler eklemenin gereği yok. Hissettiklerim çoktan geçti. Bir daha da geri gelmeyecek. Demek artık huzurlu, ümitli ve bereketli bir geleceğe yelken açabiliriz.

"Restoranın sahibi değişince yemeklerin de değiştiğini söylüyorlar," diyor kocam.

Önemi yok. Restoran yemeklerinin tadı *hep* aynıdır: bol tereyağı, süslü mü süslü tabaklar ve –dünyanın en pahalı şehirlerinden birinde yaşadığımızdan– yediklerimize hiç değmeyecek bir fiyat.

Ama yemeğe çıkmak bir tören gibidir. Şef garson tarafından karşılanıp (buraya gelmeyeli onca zaman geçmesine rağmen) her zamanki masamıza götürülüyoruz, her zamanki şaraptan isteyip istemediğimizi soruyor (isteriz elbette) ve mönülerimizi uzatıyor. Mönüyü baştan sona okuyup her zamankiyle aynı yemeği seçiyorum. Kocamsa geleneksel fırında mercimekli kuzuyu seçiyor. Şef garson masamıza dönüp günün spesiyallerini saymaya başlıyor; terbiyemizden onu dinleyip birkaç nazik sözcükle geçiştiriyoruz ve alışık olduğumuz yemekleri sipariş ediyoruz.

* * *

İlk kadehler –on senedir evli olduğumuzdan şarabı titizlikle tadıp analiz etmediğimiz için– çabucak biterken işlerimizden ve eve bir türlü uğramayan kalorifer tamircisinden bahsediyoruz.

"Gelecek pazar yapılacak seçimlerden ne haber?" diye soruyor kocam.

Bana özellikle ilginç gelen bir konuyla uğraşıyorum: "Siyasetçilerin özel hayatları seçmenleri ilgilendirmeli midir?" Hazırladığım makale önceki gün manşetten verilen, Nijeryalıların şantajına uğrayan meclis üyesi haberinin devamı niteliğinde. Konuştuğum herkesin cevabı, "Bizi ilgilendirmez," şeklinde. Burası Amerika Birleşik Devletleri değildir ve bununla gurur duyarız.

Başka güncel konulara da değiniyoruz: Oy kullanan seçmen sayısı son Eyaletler Konseyi seçimlerinden beri %38 civarında artmış. TPG (Transports Publics Genevois, yani Cenevre Toplu Taşıma İşletmesi) kondüktörleri yorulsalar da işlerinden memnunlarmış. Kadının biri yaya geçidinden geçerken ezilmiş. Trenin biri bozulunca demiryolu trafiği iki saati aşkın bir süre boyunca aksamış. Bunlar gibi başka bir sürü önemsiz şeyden bahsediyoruz.

Garsonun getireceği başlangıç tabağını beklemeden ve kocama gününün nasıl geçtiğini sormadan hemen ikinci kadehi dolduruyorum. Kocam anlattıklarımı nazikçe dinliyor. Burada ne işimiz olduğunu merak ediyor olmalı.

"Bugün daha neşelisin," diyor, garson ana yemekleri getirdikten sonra. Böylece yirmi dakikadır durmaksızın konuştuğumu fark ediyorum. "Her zamankinden farklı bir şey mi oldu?"

Aynı soruyu Parc des Eaux-Vives'e gittiğim gün sorsa yüzüm kızarır, önceden hazırladığım mazeretleri sıralardım. Oysa hiç de neşeli değildim, kendimi dünyaya ne kadar faydalı olduğuma ikna etmeye çalışsam da günüm her zamanki gibi sıkıcı geçmişti.

"Peki benimle ne konuda konuşmak istiyordun?"

Her şeyi itiraf etmeye hazırlanıyorum, üçüncü kadehe geçtim bile. Tam kendimi uçurumdan aşağı bırakacağım sırada garson masamıza geliyor. Önemsiz birkaç laf daha ediyoruz, hayatımın değerli dakikalarını karşılıklı nezaket gösterileriyle harcıyoruz.

Kocam ikinci şişeyi sipariş ediyor. Garson bizlere afiyet olsun, deyip şarabımızı getirmeye gidiyor. Böylece konuşmaya başlıyorum.

Biliyorum, doktora görünmem gerektiğini söyleyeceksin. Ama buna gerek duymuyorum. Evde ve işyerinde üstüme düşen bütün görevleri yerine getiriyorum. Yine de birkaç aydır mutsuzum.

"Bana hiç de mutsuz görünmüyorsun. Daha biraz önce seni daha neşeli bulduğumu söyledim."

Elbette. Mutluluk benim için sıradan bir şeye dönüştü, artık kimse farkına varmıyor. Konuşabileceğim biri olduğu için mutluyum. Ama anlatmak istediklerimin bu göstermelik neşemle hiç alakası yok. Artık doğru düzgün uyuyamıyorum. Kendimi bencil hissediyorum. İnsanları çocukça etkilemeye çalışıp duruyorum. Ortada hiçbir sebep yokken banyoya kapanıp ağlıyorum. Aylardır sadece bir kez gerçekten isteyerek seviştim – hangi günden bahsettiğimi iyi biliyorsun. Bütün bunların otuzlu yaşlara bastığım için bir nevi geçiş dönemi olduğunu düşünüyordum ama bu açıklama bana yetmiyor. Hayatımı boşa geçiriyormuşum, bir gün geriye bakıp yaptığım her şeyden pişmanlık duyacakmışım gibi hissediyorum. Seninle evlenmem ve çocuklarımızın doğumu hariç her şeyden...

"İyi de asıl önemli olan bunlar değil mi zaten?"

Çoğu kişi için öyle. Ama bana yetmiyor. Giderek de fenalaşıyor. Her gün yapmam gerekenleri tamamladıktan sonra kafamda bitmek bilmez bir sorgulama başlıyor. Bir yandan hayatımda bir şeylerin değişeceğinden korkuyorum, diğer yandan ise değişik bir şeyler yaşamayı arzuluyorum. Düşüncelerim kendilerini tekrarlıyor, artık hiçbir şeye hâkim olamıyorum. Sen çoktan uykuya daldığından bunlardan hiç haberin olmuyor. Dün gece mistral rüzgârının pencereyi titrettiğini duydun mu?

"Hayır. Ama pencereler sımsıkı kapalıydı."

Demek istediğim de bu. Evlendiğimizden beri binlerce kez esen önemsiz bir rüzgâr bile beni uyandırmaya yetiyor. Yatakta kımıldandığında ve uykunda konuştuğunda hep fark ediyorum. Lütfen, bunu kişisel algılama ama etrafım bana hiçbir şey ifade etmeyen şeylerle çevriliymiş gibi hissediyorum. Sakın yanlış anlama: Oğullarımızı çok seviyorum. Seni seviyorum. İşime bayılıyorum. Ama bütün bunlar bana kendimi daha da kötü hissettiriyor; çünkü Tanrı'ya, hayata, sizlere haksızlık ettiğimi düşünüyorum.

Yemeğine elini bile sürmüyor. Karşısında oturan kişiyi tanımıyormuş gibi bir hali var. Ama bu sözleri söylemek içimi büyük bir huzurla dolduruyor. Sırrım açığa çıktı. Şarap etkisini gösteriyor. Artık yalnız değilim. Teşekkürler, Jacob König.

"Sence doktora görünmen gerekiyor mu?"

Bilmiyorum. Ama gerekse bile bunu yapmayı hiç istemiyorum. Dertlerimi kendi başıma çözmeyi öğrenmem lazım.

"Böyle hisleri bunca süre bastırmanın hiç kolay olmadığını tahmin edebiliyorum. Bana açıldığın için teşekkürler. Neden şimdiye kadar hiç anlatmadın?"

Çünkü ancak şimdi her şey katlanılmaz gelmeye başladı. Bugün çocukluğumu ve ergenliğimi hatırladım. Acaba bu mutsuzluğun tohumu ta o zamandan beri içimde miydi? Bence değildi. Zihnim bana bunca yıldır ihanet ettiyse iş değişir tabii ama bence bu pek mümkün değil. Normal bir aileden geliyorum, normal bir eğitim aldım, normal bir yaşam sürüyorum. Derdim nedir peki?

Daha önce hiçbir şey söylemedim, diyorum gözlerim yaşararak çünkü hemen geçeceğini sandım ve seni endişelendirmek istemedim.

"Sen deli değilsin. İçinde kopan fırtınaları bir kez olsun belli etmedin. Ne aksileştin ne de kilo verdin. Kendini kontrol edebiliyorsan kurtulmayı da başarabilirsin."

Neden kilodan bahsetti şimdi?

"Doktorumuzu arayıp uyumana yardım etsin diye birkaç sakinleştirici yazdırabilirim. Kendim için olduğunu söylerim. Bence iyice dinlenirsen yavaş yavaş düşüncelerine hâkim olmaya başlayabilirsin. Belki biraz egzersiz yapmalıyız. Hem çocuklar da hoşlanacaklardır. İşimize fazla gömülmüş durumdayız, bu hiç iyi değil."

İşime gömülmüş falan değilim. Düşündüğünün aksine, bu aptal röportajlar zihnimi meşgul tutmamı sağlıyor ve yapacak şey bulamadığımda aklımı ele geçiren yabanıl düşünceleri engelliyor.

"Ne olursa olsun egzersize, açık havada vakit geçirmeye ihtiyacımız var. Yorgunluktan devrilene kadar koşmaya. Belki de arkadaşlarımızı eve daha fazla davet etsek..."

Tam bir kâbus olur! Gevezelik etmek, insanları hoş tutmak, dudaklarımızda zorlama bir gülümsemeyle gezmek, opera ve trafik hakkında söylenenleri dinlemek, üstüne bir de herkes gittikten sonra bulaşıkları yıkamak gerekir.

"Hafta sonunda Jura Ormanı'na gidelim. Uzun zamandır hiç gitmedik."

Hafta sonu seçimler var. Gazetede mesaiye kalacağım.

Konuşmadan yemeklerimizi yiyoruz. Garson boş tabaklarımızı almak için iki kez gelse de yemeklere dokunmadığımızı görerek yanımızdan ayrıldı. İkinci şişe çabucak bitiyor. Kocamın aklından geçenleri tahmin edebiliyorum: "Karıma nasıl yardım edebilirim? Onu mutlu etmek için ne yapabilirim?" Hiçbir şey. Zaten elinden gelen her şeyi yapıyor. Başka şeylere kalkışsa, mesela bir kutu çikolata veya bir demet çiçek getirse aşırı şefkat göstermiş sayılır ve fena halde midemi bulandırır.

Kocamın araba kullanamayacak kadar içtiğine kanaat getiriyoruz, arabayı yarın gelip almak üzere restoranda bırakıyoruz. Kayınvalideme telefon edip geceyi çocuklarla geçirmesini rica ediyorum. Ben yarın erkenden onları okula götürürüm.

"İyi de hayatında tam olarak eksik olan nedir?"

Lütfen, bana bunu sorma. Çünkü cevabım belli: Hiçbir şey. Hiçbir şey! Keşke ciddi dertlerle boğuşuyor olsaydım. Benimle aynı durumda başka hiç kimseyi tanımıyorum. Senelerce depresyondan kurtulamayan bir arkadaşım bile yeni tedavi görmeye başladı. Ama bence tedaviye ihtiyacım yok çünkü arkadaşımın söylediği belirtilerin hepsini göstermiyorum, ayrıca kendimi yasal uyuşturuculara kaptırmak istemiyorum. Başkalarıysa rahatsız, stresli, kalpleri kırıldığı için üzgün olabilirler. Hatta bu kalbi kırıklar depresyonda olduklarını, doktora ve ilaca ihtiyaç duyduklarını zannedebilirler. Oysa hiç alakası yoktur. Sadece kalpleri kırıktır; ezelden beri, insan Sevgi denen şu gizemli varlığı keşfettiğinden beri kırılır durur kalpler.

"Madem doktora gitmek istemiyorsun, konu hakkında bir şeyler okumaya ne dersin?"

Bunu elbette denedim. Psikolojiyle ilgili internet sitelerini okuyup durdum. Yogaya daha da sıkı sarıldım. Eve getirdiğim kitapların edebiyat zevkime ters olduğunu hiç fark etmedin mi? Birden ruhani konulara ilgi duymaya başladığımı mı düşündün yoksa?

Hayır! Bir türlü bulamadığım bir cevabın peşinden koşup duruyorum. Bilgelik taslayan onlarca kitap okuduktan sonra bu şekilde bir yere varamayacağımı anladım. Okuduğum sırada etkilerini hissetsem de kapaklarını kapar kapamaz geçiyordu. Kendilerini yaratan kişi için bile bir hayalden farksız, kusursuz bir dünyayı betimleyen sözcükler ve cümlelerle doluydular.

"Peki ya şimdi, yemekteyken kendini daha iyi hissettin mi?"

Elbette. Ama önemli olan bu değil. Neye dönüştüğümü anlamam lazım. Ben neysem oyum, kendim dışımda bir şey olamam.

Kocamın çaresizce bana yardım etmeye çalıştığını fark ediyorum ama o da benim gibi şaşkın. Yine hastalık belirtilerinden bahsedince derdimin belirtiler olmadığını, her şeyin bir belirti olarak görülebileceğini söylüyorum. Sünger gibi her şeyi emen bir kara deliği gözünün önüne getirebiliyor mu?

"Hayır."

Getirse anlayacak.

Bu durumdan kurtulacağıma dair bana söz veriyor. Kendimi eleştirmememi, olanlardan dolayı kendimi suçlamamamı, yanımda olduğunu söylüyor.

"Tünelin sonunda ışık var."

Ben de buna inanmak istiyorum ama ayaklarım betona yapışık sanki. Yine de endişelenme, mücadeleye devam edeceğim. Aylardır mücadele ediyorum. Arada benzer dönemler atlattım ve geçip gittiler. Bir sabah uyanıp bütün bunların bir kâbustan ibaret olduğunu göreceğim. Buna güvenim tam.

Kocam hesabı istiyor, elimi tutuyor ve taksi çağırıyoruz. Kendimi biraz daha iyi hissediyorum. Sevilen kişiye güvenmek daima iyi sonuç verir.

Jacob König, odamda, yatağımda, kâbuslarımda ne işin var? Belediye Meclisi seçimlerine üç günden az kaldı, işlerin başından aşkın ama değerli saatlerini kampanyana ayırmak yerine benimle La Perle du Lac'ta öğle yemeği yiyip Parc des Eaux-Vives'de sohbet ederek geçirdin.

Yetmedi mi? Rüyalarımda ve kâbuslarımda ne işin var? Senin önerine harfi harfine uydum: Kocamla konuştum, bana duyduğu sevgiyi hissettim. Onunla uzun zamandır olmadığı kadar tutkulu seviştiğimizde mutluluğun hayatımdan tamamen çekildiği hissi havaya karıştı.

Lütfen, düşüncelerimden uzak dur. Yarın zor bir gün olacak. Erkenden uyanıp çocukları okula götürmem, markete gitmem, park yeri aramam, siyaset gibi orijinallikten uzak bir konuda orijinal bir makale yazmam lazım... Rahat bırak beni, Jacob König.

Evliliğimden mutluyum. Sense seni düşündüğümü bilmiyor, aklına bile getirmiyorsun. Bu gece yanımda bana mutlu sonla biten öyküler anlatacak, beni ninniler eşliğinde uyutacak birinin olmasını çok isterdim ama yok. Tek düşünebildiğim sensin.

Kendimi zor tutuyorum. Görüşmeyeli bir hafta geçse de yanımdan hiç ayrılmamış gibisin.

Aklımdan çıkmazsan evine kadar gitmeye, seninle ve

karınla oturup çay içmeye, mutlu olduğunuzu, hiç şansım olmadığını, gözlerimde kendi yansımanı gördüğünün bir yalan olduğunu, beni beklenmedik biçimde öperek kasten incittiğini kendi gözlerimle görmeye mecbur kalacağım.

Beni anlayacağını umuyorum, bunun için dua edip duruyorum çünkü ben bile ne istediğimi tam olarak anlayamıyorum.

Kalkıp bilgisayarımın başına gidiyorum, aklımdan arama motoruna "sevdiğin erkeğin gönlünü fethetmek" yazmak geçiyor. Ama onun yerine "depresyon" yazıyorum. Bana ne olduğunu tam olarak anlamam gerek.

İnsanların kendi kendilerini teşhis etmelerini sağlayan bir siteye giriyorum: "Psikolojik probleminiz var mı, hemen keşfedin." Karşıma sorularla dolu bir liste çıkıyor ve çoğuna hayır cevabını veriyorum.

Sonuç: "Zor bir dönemden geçiyor olabilirsiniz ama klinik düzeyde depresyondan uzaksınız. Doktora gitmenize gerek yok."

Söylememiş miydim? Biliyordum işte. Hasta değilim. Sanki bütün bunları dikkat çekmek için uyduruyorum. Ya da kendimi kandırmak, hayatımı biraz daha ilginçleştirmek için... Ne de olsa *dertlerim* var! Dertler daima çözüm isterler ve saatlerimi, günlerimi, haftalarımı dertlerimi araştırmaya adayabilirim.

Belki de kocamın doktorumuzdan benim için uyumama yardımcı olacak bir şeyler istemesi fena bir fikir değildir. Gerginliğim işyerindeki, bu seçim döneminde daha da artan stresten kaynaklanıyor olabilir, kim bilir? Hem işimde hem özel hayatımda hep başkalarından üstün olmak istiyorum, ikisi arasında denge kurmak kolay iş değil.

Bugün günlerden cumartesi, seçimlere bir gün var. Bir arkadaşım hafta sonlarından nefret eder çünkü borsa kapalı olunca yapacak şey bulamaz.

Kocam beni evden çıkmaya ikna etti. Çocukları gezmeye götürmek istediğini söyleyince karşı çıkamadım. Ama şehirden iki günlüğüne uzaklaşmamız mümkün değil çünkü yarın gazetede mesaiye kalacağım.

Kocam eşofmanlarımı giyinmemi söylüyor. Bu kılıkta dışarı çıkmaya utanıyorum, hele de bir zamanlar Romalılara ev sahipliği yapan, şimdiyse nüfusu yirmi binden az kalan Nyon'a gitmeye... Eşofmanı ancak evin yakınında, egzersiz yaptığımı herkesin anlayacağı yerlerde giymeyi tercih ettiğimi söylüyorum ama kocam ısrarcı.

Tartışmak istemediğimden istediğini yapıyorum. Hiç kimseyle hiçbir konuda tartışasım yok – bugün hislerim bu yönde. Ne kadar sakin kalabilirsem o kadar iyi.

Ben arabayla yarım saat uzağımızdaki bir kasabaya pikniğe giderken herhalde Jacob seçmenlerini ziyaret ediyor, yardımcıları ve dostlarıyla konuşuyordur, heyecanlıdır, hatta biraz streslidir ama yine de hayatında bir şeyler gerçekleştiği için memnundur. İsviçre'de kamu araştırmaları pek dikkate alınmaz; çünkü burada oyun gizliliği ciddi bir meseledir ama görünüşe bakılırsa Jacob yeniden seçilecek.

Karısı bütün gece uyuyamamıştır herhalde; ama onun uyuyamama sebebi benimkinden tamamen farklıdır. Resmî sonuçlar açıklandıktan sonra arkadaşlarını nasıl ağırlayacağının telaşına düşmüştür. Sabah erkenden Rue de Rive'deki sokak pazarına gitmiştir; her hafta Julius Baer Bankası'nın kapısıyla Prada, Gucci ve Armani gibi lüks markaların vitrinlerinin önüne meyve, sebze ve et tezgâhları kurulur. Fiyatlara aldırmadan en iyi ürünleri seçmiştir. Sonra belki arabasına binip Satigny'nin yolunu tutmuştur, yörenin gururu şarap bağlarından birini ziyaret edip –kocası gibi– şaraptan sahiden anlayan kişileri memnun edebilmek uğruna birbirinden farklı hasatların şaraplarını tatmak için.

Eve döndüğünde yorgunluktan ölse de mutludur. Jacob'un seçildiği henüz kesinleşmese de her şeyi bir gün evvelden hazır etmenin kime ne zararı var ki? Tanrı'm, bir de bakıyor ki evdeki peynir sandığından azmış! Yine arabaya atlayıp pazara dönüyor. Tezgâhlarda sergilenen onlarca çeşidin arasından Vaud kantonunun gururu üç tanesini seçiyor: Gravyer (üç çeşidi vardır: tatlı, yarı tuzlu ve olgunlaşması dokuz ila on iki ayı bulan, hepsinden pahalı bir tür daha), Tomme Vaudoise (içi yumuşaktır, eritilerek de yenebilir) ve L'Etivaz (Alp ineklerinin sütünü odun ateşinde yavaşça pişirerek yapılır).

Mağazalara uğrayıp yeni bir elbise alsa mı acaba? Belki fazla abartılı kaçar. İş hukukuyla ilgili bir konferansa katılan kocasıyla birlikte gittiği Milano'dan aldığı Moschino'yu dolaptan çıkarsa daha iyi olacak.

Ya Jacob neler yapıyordur acaba?

Şöyle mi dese yoksa böyle mi, falanca sokağı mı ziyaret etse yoksa filanca semti mi, *Tribune de Genève* gazetesinin sitesinde yeni bir haber çıktı mı, diye sormak için ikide bir karısına telefon ediyordur. Karısına ve ondan gelen önerilere güvenir, bugün gerçekleştirdiğine benzer ziyaretlerin gerginliğini onun sayesinde üstünden atar, birlikte kararlaştırdıkları stratejilerden hangisini uygulaması gerektiğini ve bir sonraki adımını hep ona sorar. Parktaki konuşmamızda, siyasete devam etme sebebinin karısını hayal kırıklığına uğratmamak olduğunu ima etmişti. İşinden baştan aşağı nefret etse de karısına duyduğu aşk, çabalarına farklı bir boyut katıyor. Parlak kariyerinden vazgeçmezse cumhurbaşkanlığına kadar yükseleceği kesin. Ama İsviçre'de bunun hiçbir anlamı yoktur; çünkü hepimiz cumhurbaşkanının senede bir değiştiğini ve Federal Meclis tarafından seçildiğini biliriz. Yine de, kim istemez "kocam dünyada İsviçre diye bilinen Helvet Konfederasyonu'nun başkanı" diye böbürlenmeyi?

Önünde bütün kapılar açılacaktır. Uzak diyarlardaki konferanslara davet edilecektir. Büyük bir şirket onu yönetim kuruluna atayacaktır. König çiftinin geleceği parlaktır, benimse şu anda önümde uzun bir araba yolculuğuyla bir piknik, üzerimdeyse korkunç bir eşofman var.

İlk olarak Roma Müzesi'ni ziyaret ediyoruz, ardındansa harabeleri görmek için küçük bir tepeyi tırmanıyoruz. Çocuklarımız aralarında şakalaşıyorlar. Kocam artık her şeyi bildiği için kendimi rahatlamış hissediyorum: Sürekli numara yapmama gerek yok.

"Göl kenarında biraz koşalım mı?"

Çocuklar ne olacak?

"Merak etme. Uslu durmalarını istediğimizde sözümüzü dinleyecek kadar eğitimliler."

Hep birlikte yabancıların Cenevre Gölü adını verdiği Leman Gölü'nün kıyısına iniyoruz. Kocam çocuklara dondurma alıyor ve onları bir banka oturtup biz biraz koşup dönene kadar orada kalmalarını tembihliyor. Büyük oğlum iPad'ini getirmediği için mızmızlanıyor. Kocam kahrolasıca aleti getirmek için arabaya kadar gidiyor. Aletin ekranı dadıların en müthişi... Çocuklar yetişkinler için yapılmışa benzeyen oyunlarda teröristleri öldürmeye kendilerini kaptırınca yerlerinden bile kımıldamazlar.

* * *

Koşmaya başlıyoruz. Bir yanımızda bahçeler var, diğer yanımızdaysa martılar ve mistral rüzgârını fırsat bilip göle açılan tekneler. Rüzgâr dördüncü gününde de durmadı, altıncı gününde de, neredeyse dokuzuncu gününe yaklaşıyor, herhalde sonrasında bitecek ve mavi göklerle güzel havaları beraberinde götürecek. Parkur boyunca on beş dakika kadar koşuyoruz. Nyon arkamızda kaldı, artık dönsek iyi olacak.

Uzun zamandır koşmamıştım. Yirmi dakika koştuktan sonra duruyorum. Daha fazlasına dayanamayacağım. Dönüşü yürüyerek tamamlayacağım.

Kocam, "Dayanırsın!" diyerek beni motive etmeye çalışırken bir yandan da ritmini kaybetmemek için olduğu yerde sıçrıyor. "Yapma ama. Neredeyse parkurun sonuna geldik."

Öne eğilip ellerimi bacaklarıma koyuyorum. Kalbim gümbür gümbür atıyor; hep uykusuz gecelerimin suçu. Kocam etrafımda daireler çizerek koşuyor.

"Hadi, dayanırsın! Durmak daha fena. Bunu benim için yap çocuklarımız için. Sadece egzersiz amaçlı bir koşudan ibaret değil bu. Asıl önemli olan sonunda bir bitiş çizgisi bulunduğunu bilmek ve yolun yarısında pes etmemek."

Takıntı halindeki mutsuzluğumu mu ima ediyor acaba?

Bana yaklaşıyor. Ellerimi tutup beni nazikçe sallıyor. Koşmaya halim yok ama karşı çıkmaya da halim yok. İstediğini yapıyorum. Parkurun kalan on dakikalık kısmını birlikte koşmaya başlıyoruz.

Eyalet Meclisi adaylarının afişlerini görüyorum, oysa aynı yerden ilk geçişimizde fark etmemiştim. Bir sürü adayın arasında Jacob König'in de fotoğrafı var, kameraya gülümsüyor.

Hızımı artırıyorum. Kocam şaşırıyor ve o da hızlanıyor. Parkuru önceden tahmin ettiğimiz gibi on dakikada değil, yedi dakikada tamamlıyoruz. Çocuklar yerlerinden bile kımıldamamışlar. Etraflarındaki güzelim manzaraya, dağlara, martılara, ufukta yükselen Alp Dağları'na rağmen gözleri insanın ruhunu tüketen şu aletin ekranına yapışık.

Kocam yanlarına gidiyor; ama ben yanlarında durmadan geçiyorum. Kocamın bakışlarında hem şaşkın hem mutlu bir ifade var. Söylediklerinin bana etki ettiğini sanıyor olmalı; vücudumu koşu veya orgazm gibi ağır fiziksel aktivitelerde kana karışan o çok ihtiyaç duyduğum endorfinle dolduruyorum. Bu hormonun en önemli özelliği insanın neşesini yerine getirmesi, bağışıklık sistemini güçlendirmesi, erken yaşlanmayı engellemesi ve *her şeyden önemlisi*, insanın içini coşku ve sevinçle doldurması.

Ancak endorfin bende bu etkilerin hiçbirini göstermiyor. Bana sadece koşmaya devam etmem, ufukta kayboluncaya kadar koşmam, her şeyi geride bırakmam için güç katıyor. Neden böyle harika çocuklarım var? Neden kocamla tanışıp ona âşık oldum? Karşıma hiç çıkmasaydı şu anda özgür bir kadın olmayacak mıydım?

Delilik bunlar. En yakın akıl hastanesine kadar koşmalıyım; çünkü böyle şeyler düşünmek hayra alamet değil. Ama düşünmeden duramıyorum.

Birkaç dakika daha koştuktan sonra dönüşe geçiyorum. Yolun yarısında özgürlük arzumun gerçeğe dönüşeceğini ve Nyon'daki bu parka dönünce ailemin gitmiş olacağını düşünerek dehşete kapılıyorum.

Ama yerlerindeler, canları gibi sevdikleri annelerinin, âşık olunan kadının geldiğini görünce yüzleri gülüyor. Onları kucaklıyorum. Ter içindeyim, vücudumun ve zihnimin kirlendiğini hissetmeme rağmen onları sımsıkı göğsüme bastırıyorum.

Bütün hislerime rağmen. Daha doğrusu, bütün hissizliğime rağmen.

İnsan hayatını seçemiyor: Hayat insanı seçiyor. Hayatta payına mutlulukların mı, mutsuzlukların mı düşeceğini bilmek mümkün değil. Kabul edip yola devam etmek gerek.

Hayatımızı seçemesek de karşımıza çıkan mutluluklar ve mutsuzluklarla ne yapacağımız bize kalmış.

Bu pazar akşamı işim dolayısıyla partinin merkez binasındayım (şefimi burada bulunmam gerektiğine ikna etmeyi başardım, şimdiyse kendimi ikna etmem lazım). Saat 17.45 ve insanlar zaferi kutluyorlar. Hastalıklı düşüncelerimin aksine, seçilen hiçbir aday ayrı bir kutlama düzenlemeyecek. Yani Jacob ile Marianne König'in evini görmeye bu kez fırsat bulamayacağım.

Gelir gelmez ilk haberleri aldım. Kantondaki insanların %45'ten fazlası oy kullanmış, ki bu bir rekor sayılır. Birinciliği bir kadın almış, Jacob ise onurlu bir üçüncülük elde etmeyi başararak hükümete girmeye hak kazanmış – tabii partisi bu doğrultuda karar verirse.

Binanın ana salonu sarılı yeşilli balonlarla süslü, kimileri şimdiden içmeye başlamış, kimileriyse beni görünce, belki de ertesi gün resimlerinin gazetede çıkacağını umarak, zafer işareti yapıyorlar. Oysa fotoğrafçılar henüz gelmediler; bugün pazar ve hava çok güzel.

Jacob beni uzaktan görüyor ve hemen başka tarafa dönüp başkalarıyla ne kadar sıkıcı olduğunu tahmin ettiğim konulardan konuşmaya başlıyor.

Çalışmam ya da en azından çalışıyor gibi yapmam lazım. Ses kayıt cihazımı, not defterimi ve keçeli kalemimi çantamdan çıkarıyorum. İnsanların arasında gezinip "artık göçle ilgili yasayı onaylayabiliriz" ya da "seçmenler geçen sefer yanlış kişiyi seçtiklerini anladılar ve bu kez beni geri getirdiler" gibi açıklamaları kayda geçiriyorum.

Birinci sırada seçilen kadın aday, "Benim için hayati olan, kadınların oylarıydı," diyor.

Yerel televizyon kanalı Léman Bleu ana salona bir stüdyo kurmuş. Kanalın siyasi programının sunucusu –oradaki bir düzine erkeğin fantezilerini süsleyen– kız iyi sorular sorsa da seçilen adaylar, yardımcıları tarafından önceden hazırlanmış, basmakalıp cevaplar veriyorlar.

Bir ara Jacob König sahneye çağrılınca söylediklerini duymak için ben de oraya yöneliyorum ama aniden önüme biri çıkıyor.

"Merhaba, ben Madam König. Jacob bana senden çok bahsetti."

Nasıl da güzel bir kadın! Sarışın, mavi gözlü, üzerinde şık siyah bir hırka ve Hermès marka kırmızı bir eşarp var. Görünüşe bakılırsa taşıdığı tek marka o. Diğer giysileri Paris'in en iyi tasarımcısı tarafından –kopyalanmasın diye tasarımcının ismi sır gibi saklanır– özel üretim dikilmiş olmalı.

Şaşırmış halde onu selamlıyorum.

Jacob benden mi bahsetti? Onunla röportaj yapmıştım, birkaç gün sonra da birlikte öğle yemeği yedik. Gazeteciler röportaj yaptıkları kişiler konusunda yorumda bulunmamalıdırlar ama bence kocan kendisine yapılan şantaj girişimini açık ederek çok cesur davrandı.

Marianne –ya da kendisini tanıttığı şekliyle Madam

König– söylediklerimle ilgileniyormuş numarası yapıyor. Gözlerinin belli ettiğinden daha fazlasını biliyor olmalı. Acaba Jacob ona Parc des Eaux-Vives'deki buluşmamızdan bahsetti mi? Bu konuya değinmeli miyim?

Léman Bleu televizyonuyla röportaj başladı ama Marianne kocasının söyledikleriyle hiç ilgileniyor gibi görünmüyor, herhalde her şeyi ezbere bildiğinden böyledir. Jacob'un açık mavi gömleğini ve gri kravatını, dikimi kusursuz flanel ceketini, kolundaki saati –ki gösteriş budalası gibi görünmesin diye aşırı pahalı değildir ama ülkenin en önemli endüstrilerinden birini küçümseyecek denli ucuz da değildir– o seçmiş olmalı.

Marianne'a, bir açıklama yapmak ister mi, diye soruyorum. Açıklamayı Cenevre Üniversitesi'nin felsefe bölümündeki yardımcı doçentlerinden biri sıfatıyla yapabilirse memnuniyet duyacağını söylüyor. Ama yeniden seçilmiş bir siyasetçinin karısı olarak açıklamada bulunmayı çılgınlık olarak gördüğünü söylüyor.

Beni kışkırtmaya çalıştığını düşünüyorum ve misilleme yapmaya karar veriyorum.

Haysiyetli duruşundan dolayı onu övüyorum. Kocasının bir arkadaşının karısıyla ilişki yaşadığını öğrenmesine rağmen çıngar çıkarmadığını duyduğumu söylüyorum. Hem de bütün bunlar seçimlerin hemen öncesinde gazetelerde boy gösterdiği halde...

"Çıngar çıkarır mıyım hiç, tam tersi. Seksin sadece seksten ibaret olduğu konusunda iki taraf da hemfikir olduğu ve aşka yer verilmediği sürece ilişkilerde özgürlükten yanayım."

Acaba bir şey mi ima etmeye çalışıyor? Mavi fenerlerden farksız gözlerine doğrudan bakmaya çekiniyorum. Sadece pek makyaj yapmadığını fark ettim. Makyaja ihtiyacı yok.

"Dahası," diye ekliyor, "gazeteni isimsiz bir muhbir

aracılığıyla bu olaydan haberdar eden ve bütün bunları seçim haftasında ortaya çıkaran da bendim. İnsanlar sadakatsizliği hemen unutacaklar ama Jacob'un yüreklilik edip ailesi pahasına yolsuzluğun peşini bırakmadığını daima hatırlayacaklar."

Son söylediklerine kendi kendine gülüyor ve bu söylediklerinin *off the record* olduğunu, yani yayımlanmaması gerektiğini belirtiyor.

Gazetecilik kurallarına göre insanların *off the record* kalıbını konuşmaya başlamadan önce kullanması gerektiğini söylüyorum. Bunu kabul edip etmemek gazeteciye kalmıştır. Her şeyi anlattıktan sonra bunu söylemek, nehre düşen ve suyun istediği yere sürüklenmeye başlayan bir yaprağı durdurmaya çalışmaktan farksızdır. Yaprağın kendi kendine karar verebilmesi mümkün değildir artık.

"Yine de ricama uyacaksın, değil mi? Kocama zarar vermen sana hiçbir kazanç sağlamaz."

Daha beş dakika konuşmadan birbirimize apaçık düşman kesiliyoruz. Rahatsızlığımı belli ederek söylediklerini yayımlamamayı kabul ediyorum. Gelecek sefere önceden haber vermesi gerektiğini o müthiş hafızasına not ediyor. Her geçen dakika yeni bir şey öğreniyor. Her geçen dakika amacına biraz daha yaklaşıyor. Evet, *kendi* amacına çünkü Jacob hayatından mutlu olmadığını belli etti.

Gözlerini benden ayırmıyor. Yeniden gazeteci rolüme bürünmeye karar veriyorum ve eklemek istediği başka bir şey olup olmadığını soruyorum. Yakın dostları için evlerinde bir kutlama yapacaklar mı?

"Kesinlikle yapmayacağız! Bir sürü zahmet. Ayrıca Jacob zaten seçildi. Kutlamaları ve ziyafetleri seçilmeden önce, oy toplamak için vermek gerekir."

Yine kendimi tam bir aptal gibi hissediyorum ama sormam gereken son bir soru var.

Jacob mutlu mu?

Böylece kuyunun dibine ulaştığımı anlıyorum. Madam König küçümser bir hava takınıp ders veren öğretmen edasıyla, sözcükleri tane tane telaffuz ederek karşılık veriyor:

"*Tabii* ki mutlu. Olmaması için herhangi bir sebep düşünebiliyor musun?"

Bu kadını öldürüp parçalara bölmek lazım.

Tam bu sırada ikimizin de yanına birileri sokuluyor – benim payıma, birinciliği kazanan adayı tanıştırmak isteyen bir yardımcı düşerken onun yanındaki tebriklerini iletmek isteyen biri. Tanıştığımıza sevindiğimi söylüyorum. Yeniden fırsat bulursak arkadaşının karısıyla cinsel ilişki derken neyi kastettiğini –elbette *off the record* olarak– soracağımı eklemek istiyorum ama buna vakit kalmıyor. Gerekirse diye ona kartvizitimi versem de o bana kendininkini vermiyor. Ancak ben yanından ayrılmadan, herkesin gözü önünde, kolumu tutup şöyle diyor:

"Geçenlerde kocamla öğle yemeği yiyen ortak arkadaşımızı gördüm. Acınacak halde. Güçlüymüş gibi davranmaya çalışsa da aslında çok zayıf. Kendinden emin havalarda ama herhalde başkalarının kendisi ve işi hakkında düşündüklerini merak edip duruyordur. Son derece yalnız biri olsa gerek. Biliyorsun, biz kadınlar ilişkimizi tehdit edenleri keskin mi keskin altıncı hissimiz sayesinde hemencecik algılarız. Yanılıyor muyum, canım?"

Elbette haklısın, diye karşılık veriyorum hissizce. Yardımcı suratını buruşturuyor. Seçimin galibi hâlâ beni bekliyor.

"Oysa zavallının hiç şansı yok," diye sözünü tamamlıyor Marianne.

Elini uzatıyor, vedalaşıyoruz ve başka bir şey söylemeden arkasını dönüp uzaklaşıyor.

Pazartesi sabahı ısrarla Jacob'un ceptelefonunu çaldırıyorum. Cevap alamıyorum. Nasılsa telefonum onda kayıtlı diye numaramı gizleme seçeneğini kaldırıyorum. Tekrar tekrar arıyorum ama hiç açılmıyor.

Yardımcılarını arıyorum. Seçimlerden sonraki gün, yani bugün, çok meşgul olduğunu belirtiyorlar. Onunla ne pahasına olursa olsun konuşmam lazım ve denemeye devam edeceğim.

Arada sırada başvurduğum bir yöntemi uyguluyorum: Jacob'u, telefonunda kayıtlı olmayan başka birinin telefonundan arıyorum.

Telefon iki kez çalıyor ve Jacob tarafından açılıyor.

Benim. Acilen buluşmamız lazım.

Jacob nazikçe karşılık veriyor, bugün görüşmemizin mümkün olmadığını ama beni daha sonra arayacağını söylüyor.

"Yeni numaran bu mu?"

Hayır, bu başkasının telefonu. Sen telefonlarıma cevap vermeyince böyle yapmak zorunda kaldım.

Gülüyor, duyan da komik bir şeyden bahsediyoruz sanacak. Etrafında başkalarının olduğunu tahmin ediyorum, durumu belli etmemeyi başarıyor.

Biri parkta resmimizi çekmiş ve bana şantaj yapıyor,

diye yalan söylüyorum. Bütün suçun Jacob'un olduğunu, beni zorla öptüğünü söyleyeceğim. Böyle olayların bir daha tekrarlanmayacağını ümit ederek kendisine oy veren seçmenler büyük hayal kırıklığına uğrayacak. Eyalet Meclisi'ne seçilse de bakanlığa yükselme şansını kaybedebilir.

"Her şey yolunda mı?"

Evet, deyip telefonu kapatıyorum. Mesaj atıp bana yarın saat kaçta buluşacağımızı mesajla haber vermesini söylüyorum.

İyiyim, hem de çok.

Neden olmayacakmışım ki? Nihayet sıkıcı hayatımda kafamı meşgul eden bir şey çıktı. Hem gecelerim bir süredir başıboş düşüncelerle dolup taşmıyor: Artık ne istediğimi biliyorum. Yok etmem gereken bir düşmanım ve ulaşmam gereken bir hedefim var.

Bir erkek.

Aşk değil bu – ya da belki öyledir ama bunun önemi yok. Aşkım bana ait ve onu canımın istediğine vermekte özgürüm, karşılık görmesem de fark etmez. Tabii görürsem harika olur ama olmazsa da sabretmekten başka seçenek yok. İçine düştüğüm bu kuyuyu kazmaktan vazgeçmeyeceğim; çünkü dibinde su bulacağımı biliyorum: hayat suyu.

Bu düşünceler neşemi yerine getiriyor: İstediğim insanı sevmekte özgürüm. Kimseden izin almadan istediğimi seçebilirim. Bana âşık olup karşılık görmeyen erkek az mı? Oysa karşılık vermememe rağmen bana hediyeler gönderdiler, benimle cilveleştiler, arkadaşları önünde küçük düştüler. Ve buna karşın bana hiç sinirlenmediler.

Beni bir sonraki görüşlerinde, hâlâ tadamadıkları zaferin ve hayatlarının geri kalanında denemeye devam etme arzusunun ışıltısı gözlerinde olurdu.

Onlar böyle yaptılarsa ben niye aynısını yapmayayım? Karşılık görmeyen bir aşk için mücadele vermek ilginç bir fikir.

Eğlenceli olmayabilir. Geride derin ve kalıcı izler bırakabilir. Ama yine de ilginç – özellikle de birkaç senedir risk almaktan korkar hale gelen ve olayların kendi kontrolü dışında değişebileceğini düşününce dehşete kapılan biri için.

Artık duygularımı bastırmayacağım. Kurtuluşum bu meydan okuyuşum sayesinde olacak.

* * *

Altı ay önce çamaşır makinemizi yenileyince çamaşırhanemizin tesisatını değiştirmemiz gerekti. Yerdeki döşemeyi değiştirmek ve duvarları yeniden boyatmak zorunda kaldık. İş bittiğinde çamaşırhanemiz mutfağımızdan daha güzel oldu.

Bir taraf yeniyken diğeri sırıtmasın diye mutfağı da yeniledik. Derken salonun eski kaldığını düşündük. Salonu da yeniledik ama orası yenilenince neredeyse on senedir değişiklik yüzü görmeyen çalışma odası gözümüze batmaya başladı.

Çalışma odasını da yeniledik. Yavaş yavaş değişiklikler evin tamamına yayıldı.

Umarım hayatımda da aynısı tekrarlanır, küçük şeyler büyük dönüşümlere sebep olur.

Kendisini resmî olarak Madam König diye tanıtan Marianne'ın hayatını araştırmaya koyuluyorum. Zengin bir ailede doğmuş, dünyanın en büyük ilaç şirketlerinden birinin ortaklarıymış. İnternetteki fotoğraflarında, gerek sosyal gerek spor etkinliklerinde, hep çok şık. Giyimi ne gösterişli ne de gösterişsiz sayılır, tam gerektiği ayarda. Asla benim yaptığım gibi eşofmanları çekip Nyon'a ya da Versace'ler giyinip gençlerle dolu bir gece kulübüne gitmeyeceği kesin.

Cenevre ve dolaylarının en çok gıpta edilen kadını olmalı. Müthiş bir servetin mirasçısı olması ve gelecek vaat eden bir siyasetçiyle evlenmesi yetmezmiş gibi felsefe bölümünde yardımcı doçentlik yapmakta. İki tez yazmış, biri doktora tezi: "Emekliliğin Ardından Hissedilen Savunmasızlık ve Psikoz", Cenevre Üniversitesi Yayınları tarafından basılmış. İki çalışması önceden Adorno ve Piaget gibi isimlerin de şereflendirdiği *Les Rencontres* adlı saygın dergide yayımlanmış. Pek sık güncellenmese de, Fransızca Wikipedia'da kendi adına açılmış bir madde var. Orada, "İsviçre'nin Fransızca konuşulan bölgesindeki huzurevlerinde yaşanan şiddet, kavga ve taciz konularında uzman," diye tanımlanıyor.

İnsanoğlunun sevinçlerinden ve acılarından anlıyor

olmalı – öyle derin anlamış ki, kocasının "seksten ibaret seks"ine şaşıramamış bile.

Müthiş bir tertipçi olsa gerek, ne de olsa saygın bir gazeteyi isimsiz muhbirlere inandırmayı başarmış, oysa normalde hiç dikkate alınmazlar, zaten İsviçre'de sayıları azdır. Kendisini isimsiz bir kaynak olarak tanıtmış olmalı.

Manipülatör bir tarafı da var: Sonlarını getirebilecek bir olayı hem kendilerini hoşgörü ve birlik timsali bir çift gibi göstermeyi hem de yolsuzluğa karşı savaşa dönüştürmeyi başarmış.

İleri görüşlü: Çocuk sahibi olmadan önce biraz bekleyecek kadar akıllı. Hâlâ genç. Vakit gelene dek istediği her şeyi, gecenin bir yarısı çocuk ağlamalarıyla uyanmadan ya da komşuları işini bırakıp çocuklarına vakit ayırmasını tembihlemeden inşa edebilir. (Benim komşularım aynen böyle yapıyorlar.)

İçgüdüleri mükemmel: Beni tehdit olarak görmüyor. Ne kadar görüntüm aksini söylese de kendimden başka kimse için tehlike arz etmiyorum.

Acımasızca yok etmek istediğim kadın işte böyle biri.

Sabahın beşinde kalkıp şehir merkezine çalışmaya giden, oturma izni olmadığı için burada yasadışı duruma düştüğü ortaya çıkacak diye korkusundan ölen zavallı kadınlardan değil o. Birleşmiş Milletler yüksek temsilcilerinden biriyle evli, kutlamalarda asla eksik olmayan, kocasının kendisinden yirmi yaş genç bir sevgilisinin olduğunu herkes bilse de, ne kadar zengin ve mutlu olduğunu göstermek için elinden geleni yapan kokonalardan değil. Aynı Birleşmiş Milletler yüksek temsilcisinin işyerinden tanıdığı, ne kadar çalışıp didinse de, sırf "üstüyle ilişkisi oldu" diye yaptığı işin değeri asla bilinmeyecek sevgilisi değil o.

Dünya Ticaret Örgütü'nün merkezinde çalışmak uğruna, işyerindeki insanların tacizle suçlanma korkusundan birbirleriyle göz göze gelmeye dahi çekindiği Cenevre'ye taşınmak zorunda kalan yalnız işkadını değil. Gecelerini devasa kiralık villasının boş duvarlarıyla baş başa geçiren, arada bir de kafasını dağıtmak ve hayatının geri kalanını kocasız, çocuksuz ve sevgilisiz geçireceğini unutabilmek için eve jigolo çağıran o kadın değil.

Hayır, Marianne bu örneklerin hiçbirine uymuyor. O eksiksiz bir kadın.

Son günlerde daha iyi uyudum. Hafta sonu gelmeden Jacob'la buluşmam gerekiyor. En azından o öyle söz verdi, fikrini değiştireceğini de sanmam. Pazartesi gününden beri tek telefon konuşmamızda sesi tedirgin geliyordu.

Kocam geçen cumartesi Nyon'a gitmemizin bana iyi geldiğini zannediyor. Kendimi böylesine kötü hissetmeme sebep olan şeyi o gün keşfettiğimden haberi yok: tutku eksikliği, macera eksikliği.

Kendi kendimi incelerken farkına vardığım belirtilerden biri, bir nevi psikolojik otizmi andırıyor. Önceleri fırsatlarla dolu koca bir yer olarak gördüğüm dünyam, güvensizlik hissim arttıkça daralmaya başladı. Neden acaba? Mağaralarda yaşayan atalarımızdan bize kalan bir miras olmalı bu: Topluluklar birbirini korur, yalnız kalanlar kurda kuşa yem olur.

Topluluk halinde yaşasak da her şeyi, örneğin saçlarımızın dökülmesini ya da hücrelerimizin tümöre dönüşmesini, kontrol etmemizin mümkün olmadığının farkındayızdır.

Ama hissettiğimiz sahte güven duygusu bunu unutmamızı sağlar. Hayatımızı çevreleyen duvarları ne kadar net görebilirsek o kadar iyidir. Her şey bir psikolojik sınırlamadan ibaret de olsa, ölümün izin istemeden kapımızı çalacağını kalbimizin derinliklerinde bilsek de her şey kontrolümüz altındaymış gibi davranmak işimize gelir.

Son zamanlarda ruhum deniz gibi isyankâr ve huzursuzdu. Buraya kadar aldığım yolu bir düşününce kendimi fırtına mevsiminin ortasında, derme çatma bir salın üzerinde okyanusu aşıyormuş gibi hissettim. "Kurtulabilecek miyim?" diye soruyorum kendi kendime, artık dönüş olmadığını bilsem bile.

Elbette kurtulacağım.

Önceden de çok fırtına atlattım. Yeniden o kara deliğe düşeceğimi hissettiğim anlarda dikkat etmem gereken şeylerin bir listesini yaptım.

Çocuklarımla oynamak. Onlara hep birlikte ders çıkarabileceğimiz masallar okumak – çünkü masal okumanın yaşı olmaz.

Gökyüzünü seyretmek.

Bardak bardak soğuk su içmek. Saçma bir şey gibi görünebilir ama bunu ne zaman yapsam dirildiğimi hissederim.

Yemek yapmak. Sanatların en güzeli ve kusursuzudur. Beş duyumuzu birden harekete geçirir, hatta bir duyumuzu daha uyandırır – elimizden geleni ortaya koyma ihtiyacımızı. En sevdiğim tedavi budur.

Şikâyetlerimi listelemek. Bunu keşfettiğim iyi oldu! Her kızdığımda önce söylenirim, sonra not ederim. Günün sonunda boşuna kızıp durduğumu görürüm.

Gülümsemek, içinden ağlamak gelse bile gülümsemek. Listedekilerin en zoru budur ama insan zamanla alışır. Budistler, ne kadar sahte olursa olsun, yüzünde bir tebessümle gezinmenin insanın ruhunu aydınlattığını söylerler.

Günde bir yerine iki kez banyo yapmak. Şehir suyundaki kalker ve klor miktarı cildi kurutur. Yine de ruhu yıkamaya değer.

Ama bütün bunların işe yaramasının tek sebebi artık bir amacımın olması: Bir erkeğin gönlünü fethetmek istiyorum. Köşeye sıkışmış, kaçacak yer bulamayan bir kaplan gibiyim. Var gücümle ileri atılmaktan başka çarem yok.

Nihayet randevulaşıyoruz: yarın saat 15.00'te, Cologny'deki golf kulübünün restoranında. Şehrin en önemli (ve belki de tek) işlek caddesine komşu sokaklardan birindeki bir barda ya da lokantada buluşabilirdik ama o golf kulübünün restoranını seçiyor.

Öğleden sonra.

Çünkü o saatte restoran boşalmış olur ve baş başa kalabiliriz. Şefime sağlam bir mazeret sunmalıyım ama bu, dertlerimin en kolayı. Seçimler hakkındaki makalemi sonunda tamamlayabildim ve ülkedeki birçok gazetede yayımlandı.

Jacob kuytu bir yerde buluşmayı düşünmüş olmalı. Romantik bir yerde, diye düşünüyorum, istediğim her şeye inanma düşkünlüğümü dizginlemeden. Hazır güz mevsimi ağaçları altın renginin birbirinden farklı tonlarına boyamışken belki de Jacob'a kısa bir yürüyüş yapmamızı teklif ederim. Hareket halindeyken kafam daha iyi çalışır. Aslında Nyon'daki gibi koşarken daha bile iyi çalışır ama koşacağımıza pek ihtimal vermiyorum.

Ha ha ha!

Bu gece akşam yemeğinde evde *raclette* yedik, yani eritilmiş peynir, kurutulup dilimlenmiş bizon eti ve –iyice rendelenip kızartılmış– geleneksel patates röştimiz, yanında da krema. Ailem özel bir kutlama yapıp yapmadığımızı sorunca yaptığımızı söyledim: Akşam yemeğinin keyfini hep birlikte çıkarabilmemizi kutluyorduk. Ardından aynı gün içinde ikinci kez yıkandım, huzursuzluğum suya karışarak akıp gitsin diye. Bir sürü kremler süründükten sonra çocuklara masal okumak için odalarına gittim. Gözlerini tabletlerinden ayırmıyorlardı. Bu aletleri on beş yaşından küçüklere yasaklamak lazım!

Tabletlerini kapamalarını söyledim –istemeseler de sözümü dinlediler– geleneksel masallarla dolu bir kitap seçip rasgele bir masal açtım ve okumaya başladım:

Buzul çağında çok sayıda hayvan soğuk yüzünden ölüp gitmiş. Kirpiler ise sürüler halinde toplanmaya karar vermişler, böylece hem ısınıyor hem de başkalarından korunuyorlarmış.

Ama sırtlarındaki dikenler yanlarındaki dostlarına batıyormuş – tam da ısınmalarını sağlayan dostlarına. İşte bu yüzden birbirlerinden uzaklaşmaya karar vermişler.

Ve yine donarak ölmeye başlamışlar.

Hemen bir seçim yapmaları gerekiyormuş: ya Yeryüzü'nden silinip gideceklermiş, ya da dostlarının dikenlerine katlanacaklarmış.

Doğru kararı vererek yeniden bir araya gelmişler. Başkasının ısısından vazgeçemeyecekleri için yakınlaşmanın açabileceği küçük yaralarla birlikte yaşamayı öğrenmişler. Ve böyle yaşayıp gitmişler.

Çocuklarım heyecanla gerçek bir kirpiyi ne zaman görebileceklerini soruyorlar.

"Hayvanat bahçesinde var mıdır?"

Bilmiyorum.

"Buzul çağı nedir?"

Havaların çok soğuk olduğu bir devir.

"Kışa mı benzer?"

Evet; ama asla sonu gelmeyen bir kışa.

"Peki neden birbirlerine sarılmadan önce dikenlerini çıkarmamışlar?"

Tanrı'm! Başka bir masal seçseydim keşke. Işığı söndürüp Alpler'deki bir köye ait geleneksel bir şarkı mırıldanıyorum, bir yandan da başlarını okşuyorum. Çok geçmeden uykuya dalıyorlar.

Kocam bana Valium getirmiş. İlaç almayı oldum olası reddetmişimdir çünkü bağımlı hale gelmekten korkarım; ama yarın zinde uyanmam lazım.

10 mg'lık sakinleştiriciyi yutup derin ve rüyasız bir uykuya dalıyorum. Gecenin bir yarısı uyanmıyorum.

Buluşmaya vaktinden önce gidiyorum, golf kulübünün bulunduğu köşkün yanından geçip bahçenin yolunu tutuyorum. Bahçenin karşı ucundaki ağaçlara kadar yürüyorum, bu güzel öğleden sonranın tadını çıkarmaya kararlıyım.

Hüzün. Güz gelince aklıma ilk gelen sözcük budur çünkü yazın sona erdiğini, gündüzlerin giderek kısalacağını ve buzul çağdaki kirpilerin büyülü dünyasında yaşamadığımızı fark ederiz: Kimse başkalarının açtığı yaralara katlanmaz.

Evet, başka ülkelerde insanların soğuklar yüzünden öldüğünü, yolların tıkandığını, havaalanlarının kapandığını görmeye başlarız. Şöminelerimizi yakar, battaniyelerimizi dolaplarımızdan çıkarırız. Ama bütün bunlar sadece kendi inşa ettiğimiz dünyamızda meydana gelir.

Doğanın içindeyken manzara karşısında nefesimiz kesilir: Önceden birbirlerinin aynı gibi görünen ağaçlar kişilik kazanır ve ormanları binlerce farklı renge boyar. Yaşam döngüsünün bir kısmının sonu gelmiştir. Her şey bir süre dinlenecek, sonra da ilkbaharda çiçekler açarak yeniden dirilecektir.

Bizi rahatsız eden şeyleri unutmaya başlamak için sonbahardan daha uygun bir mevsim yoktur. Olumsuzlukları kuru yapraklar gibi silkelemek, yeniden dans etmeyi düşünmek, güneşin en cılız huzmelerinin bile keyfini çıkarmak, güneş uykuya çekilip gökyüzünde sönük bir fenere dönüşmeden evvel vücudu ve zihni onun ışınlarıyla ısıtmak gerekir.

* * *

Jacob'un geldiğini uzaktan görüyorum. Beni restoranda ve terasta göremeyince bardaki görevlinin yanına gidiyor ve adam eliyle beni işaret ediyor. Jacob nihayet beni görüyor ve kolunu kaldırıp selamlıyor. Ağır adımlarla kulübün ana binasına doğru yürümeye başlıyorum. Elbisemi, ayakkabılarımı, ince ceketimi, zarif yürüyüşümü görsün istiyorum. Yüreğim pırpır etse de adımlarımın ritmini bozmamalıyım.

Söyleyeceklerimi aklımdan geçiriyorum. Nasıl oldu da yeniden buluşabildik? Neden aramızda bir şeyler olduğunu bilmemize rağmen kendimizi tutuyoruz? Önceden defalarca yaşadığımız gibi takılıp düşmekten mi korkuyoruz yoksa?

Yürürken kendimi daha önce hiç geçmediğim bir tüneldeymiş gibi hissediyorum: insanın içindeki istihzayı ihtirasa dönüştüren, alaycılığın kalkanını indiren bir tünele.

Yanına gidişimi izlerken aklından neler geçiyor? Korkmamıza hiç gerek olmadığını, "kötülük diye bir şey varsa korkularımızda gizlendiğini" açıklamama gerek var mı?

Hüzün. Şu anda beni romantik bir kadına dönüştüren ve her adımda dirilten sözcük, hüzün.

Yanına vardığımda söyleyeceklerime hâlâ karar veremedim. En iyisi karar vermemek, bırakayım her şey ağzımdan doğal akışıyla çıksın. Sözcükler yanımda, içimdeler. Onları hatırlayamıyor, kabullenemiyor olsam da her şeyi kontrol etme ihtiyacımdan daha güçlüler.

Neden söyleyeceklerimi ondan önce kendim duymak istemiyorum?

Korkuyor muyum acaba? Gri, mutsuz günlerin birbirini tekrar ettiği bir hayattan daha fena ne olabilir ki? Mutlu olabilmek için gereken her şeye sahipken hey şeyi –ruhumu dahi– kaybedeceğim ve dünyada bir başıma kalacağım korkusuna kapılmamdan daha fena ne olabilir?

Güneş karşımda parlayınca ilerideki ağaçların dökülen yapraklarının gölgelerini görüyorum. İçimde de aynısı oluyor: Attığım her adımda bir engel devriliyor, bir savunma mekanizması ortadan kalkıyor, bir duvar yıkılıyor, hepsinin ardındaki yüreğimse sonbaharın ışığını görüp neşelenmeye başlıyor.

Bugün nelerden bahsedeceğiz acaba? Buraya gelirken arabada dinlediğim şarkıdan mı? Ağaçların arasından esen rüzgârdan mı? Barındırdığı bütün karşıtlıklar, karanlıklar ve kefaretlerle insanlık halinden mi?

Hüzünden bahsedince bunun mutsuz bir sözcük olduğunu söyleyecek. Hiç de değil, diyeceğim, özlem dolu bir sözcük, unutulmuş ve hassas bir anımızı anlatır, hayatımızın fikrimizi sormaksızın bizi yönelttiği yolu görmüyor numarası yaptığımızda, bütün istediğimiz kendimizi güvende hissetmek olmasına rağmen bizi mutluluğa doğru yönelten kaderimize karşı geldiğimizde hepimiz hüzne kapılırız.

Birkaç adım daha. Birkaç engel daha devriliyor. Yüreğime daha fazla ışık ulaşıyor. Kendime hâkim olmak artık aklımdan bile geçmiyor, ne olursa olsun, tek istediğim bir daha tekrarlanmayacak bu öğleden sonrayı doya doya yaşamak. Jacob'u ikna etmeme hiç gerek yok. Şimdi anlamasa da eninde sonunda anlayacak. Zaman meselesi.

Hava soğuk olmasına rağmen terastaki masalardan birine oturacağız. Sigara içebilsin diye. Başta mesafeli davranacak, parkta birinin çektiğini söylediğim fotoğraf hakkında sorular soracak.

Ama başka gezegenlerde yaşam olup olmadığı, hayatın koşturmacası arasında birçok kez unuttuğumuz Tanrı'nın varlığı hakkında da konuşacağız. İnançtan, mucizelerden, gerçekleşeceği doğmamızdan çok önce belirlenmiş karşılaşmalardan bahsedeceğiz.

Bilim ve din arasındaki ebedî mücadeleyi tartışacağız. İnsanların hem arzulayıp hem de tehdit olarak gördükleri aşktan konuşacağız. Jacob yaptığım hüzün tanımının doğru olmadığını iddia edecek, bense ona karşı çıkmadan çayımı yudumlayarak gözlerimi Jura Dağları'nın ardında batan güneşe dikecek ve hayatta olduğum için sevinç duyacağım.

Ah, unutmadan çiçeklerden de bahsedeceğiz; görünürdeki tek çiçekler bardaki sera ürünü, seri üretim çiçekler olsa da. Sonbaharda çiçeklerden bahsetmek iyi gelir. İnsanın içini ilkbahardaymış gibi ümitle doldurur.

Aramızda birkaç metre kaldı. Bütün duvarlar yıkılıyor. Yeniden doğuyorum.

* * *

Yanına gelince İsviçre'de âdet olduğu üzere yanaklarını üç kez öperek selamlıyorum onu (yurtdışındayken üç kez öptüğüm kişiler şaşırırlar). Gerginliğini fark ediyorum ve terasta kalmamızı öneriyorum – böylece hem baş başa kalabiliriz hem de sigarasını içebilir. Garson onu tanıyor. Jacob Campari-tonik sipariş ediyor, bense önceden planladığım gibi çay.

Gerginliğini alsın diye doğadan, ağaçlardan, her şeyin sürekli değiştiğini fark etmenin güzelliğinden söz etmeye başlıyorum. Neden hep aynı şablonu tekrarlamak isteriz ki? Buna katlanmak mümkün değildir. Doğaya bile terstir. Hayattaki zorlukları düşmanımız değil de tecrübe edinebileceğimiz kaynaklar olarak görmek daha faydalı değil midir?

Tedirginliği bir türlü geçmiyor. Söylediklerimi geçiştiriyor, konuşmamızı bir an önce bitirmek ister gibi bir hali var ama buna izin vermeyeceğim. Hayatımda özel bir yeri olan bu güne saygı gösterilmesi şart. Konuşmayı sürdürüyorum, yürürken düşündüklerimden, üzerinde hâkimiyetim olmadığını hissettiğim sözcüklerden bahsediyorum. Sözcükler ağzımdan tam istediğim gibi çıkınca şaşırsam da seviniyorum.

Evcil hayvanlardan bahsediyorum. İnsanların evcil hayvanlarını neden bu kadar çok sevdiklerini anlıyor mu diye soruyorum ona. Jacob basmakalıp bir cevap geveleyince bir sonraki konuya geçiyorum: İnsanların birbirinden farklı olduğuna inanmak neden bu kadar zor? Kültürel farklılıkların hayatlarımızı zenginleştirip daha ilginç hale getireceğini neden bir türlü kabul edemiyoruz da yeni kabileler kurmak için kanunlar çıkarıyoruz? Ama Jacob siyaset konuşmaktan sıkıldığını söylüyor.

Madem öyle, bugün çocukları bırakırken okulda gördüğüm bir akvaryumdan bahsedeceğiz. Balıklardan birinin akvaryumun camına yaslanmış oradan oraya yüzdüğünü görünce kendi kendime şöyle dedim: Balık yola nereden başladığını hatırlamadığı için bitişi de asla bulamayacak. Akvaryumdaki balıkları bu yüzden severiz: Bize kendi yaşamımızı hatırlatırlar, biz de iyi beslenmemize rağmen etrafımızdaki camdan duvarların ötesine geçemeyiz.

Bir sigara daha yakıyor. Kül tablasında iki izmarit görüyorum. Böylece uzun zamandır konuştuğumu fark ediyorum, ışığa ve huzura kapıldım, hissettiklerini ifade etmesine izin vermeden konuştum durdum. O ne hakkında konuşmayı istiyor acaba?

"Önceden bahsettiğin şu fotoğraf hakkında konuşmak istiyorum," diye karşılık veriyor, sözcüklerini özenle seçerek çünkü bugün son derece hassas olduğumun farkında.

Ah, şu fotoğraf. Elbette ki gerçek! Çoktan kalbime dağlandı ve Tanrı izin vermedikçe oradan çıkaramam. Gel kendi gözlerinle gör, kalbimi koruyan bütün engeller ben sana yaklaştıkça birer birer yıkıldı.

Hayır, kalbimin yolunu bilmediğini hiç söyleme bana –hem geçmişte hem şimdi– defalarca girdin kalbime. Biliyorum, çekiniyorsun, başta ben de bunu kabul etmekte zorlanmıştım. Birbirimizden hiçbir farkımız yok. Hiç endişelenme, ben sana yol göstereceğim.

Ben bütün bunları söyledikten sonra Jacob nazikçe elimi tutup gülümsüyor ve hançeri saplıyor:

"Artık lisede değiliz. Sen harika bir insansın ve bildiğim kadarıyla güzeller güzeli bir ailen var. Çift terapisi yapmayı düşündün mü hiç?"

Bir an afallıyorum. Sonra masadan kalkıp dosdoğru arabama gidiyorum. Gözlerim yaşarmıyor. Veda etmiyorum. Arkama bakmıyorum.

Hiçbir şey hissetmiyorum. Hiçbir şey düşünmüyorum. Arabamın yanından geçip yola çıkıyorum, nereye gitmem gerektiğini bilmeden. Yolun sonunda beni kimse beklemiyor. Hüznüm hissizliğe dönüştü. Yürümeye devam etmek için kendimi zorlamam gerekiyor.

Derken, beş dakika sonra, kendimi bir şatonun önünde buluyorum. Geçmişte orada neler olduğunu biliyorum: Birisi, ünü günümüze kadar uzanan bir canavara hayat vermişti, oysa bu canavarı yaratan kadının adını çok az kişi bilir.

Şatonun bahçe kapısı kapalı ama ne önemi var? Çit niyetine dikilmiş çalıların arasından geçebilirim. Bahçedeki buz tutmuş banka oturup 1817'de olanları hayal edebilirim. Zihnimi meşgul eden düşünceleri dağıtmalı, önceden bana ilham veren her şeyi unutmalı, dikkatimi başka şeylere vermeliyim.

1817 senesinden alelade bir günü hayal ediyorum: şatonun sakinlerinden İngiliz şair Lord Byron'un buraya çekilmeye karar verdiği bir günü. Lord Byron hem kendi ülkesinde hem de Cenevre'de nefret edilen bir adamdı, Cenevre'de orjiler düzenlemek ve halk içinde sarhoş gezmekle suçlanmıştı. Sıkıntıdan ölmek üzereydi herhalde. Ya da hüzünden. Ya da öfkeden.

Fark etmez. Önemli olan, 1817 senesinin o alelade gününde ülkesinden şatoya iki konuğun gelmesiydi. Kendisi gibi şair olan Percy Bysshe Shelley ile on sekiz yaşındaki "karısı" Mary.

Grupta dördüncü bir davetli daha vardı ama ismini hatırlayamıyorum.

Herhalde edebiyat hakkında konuşmuşlardır. Havadan, yağmurlardan, soğuktan, Cenevre'nin sakinlerinden, İngiliz hemşerilerinden, çay ve viskinin eksikliğinden yakınmışlardır. Belki de birbirlerine şiirler okumuş, karşılıklı övgüler düzüp keyiflenmişlerdir.

Derken kendilerinin son derece ayrıcalıklı ve önemli olduklarına kanaat getirerek sözleşmişlerdir: Bir sene sonra, yanlarında insanlığın durumundan bahseden birer kitapla, buraya döneceklerdir.

Elbette, insanoğlunun nasıl sapkın bir varlık olduğuna dair söylediklerinin ve şevkle yaptıkları planların heyecanı geçince verdikleri sözü unutmuşlardır.

Hep birlikte konuştukları sırada Mary de yanlarındaydı. Sözleşirken onu yok saymışlardı. Bunun birinci sebebi kadın olmasıydı, üstelik gençti de. Ama bu durum onu derinden yaralamış olsa gerek. Neden vakit geçirmek için bir şeyler yazmıyordu? Konusunu seçmişti, tek yapması gereken üstünde çalışmaktı – ve de kitabını bitirince kendine saklamak.

Yine de, İngiltere'ye döndüklerinde Shelley metni okudu ve yayımlaması için Mary'yi yüreklendirdi. Dahası, kendi şöhretinden faydalanarak Mary'yi bir yayıncıyla tanıştırmaya ve kitabın önsözünü yazmaya karar verdi. Mary başta tereddüt etse de sonunda kabul etti ama tek bir şartla: Kendi ismi kitabın kapağında yer almayacaktı.

Kitabın beş yüz adetlik ilk baskısı çabucak tükendi. Mary bunun Shelley'nin yazdığı önsöz sayesinde olduğunu sandı ama ikinci baskıda kendi isminin belirtilmesini kabul etti. O zamandan beri kitap dünyanın dört bir yanındaki kitapçılardan *asla* eksik olmadı. Yazarlara, tiyatro ve sinema yönetmenlerine, cadılar bayramı partilerine, maskeli balolara ilham verdi. Geçenlerde önemli bir eleştirmen tarafından, "Romantizmin, hatta belki de son iki yüzyılın en yaratıcı eseri," diye tanımlandı.

Hiç kimse bunun sebebini açıklayamaz. Çoğunluk kitabı okumamış olmasına rağmen hemen herkes içeriğini bilir.

Kitapta İsviçreli bir bilimadamı olan Victor'un öyküsü anlatılır, Cenevre'de doğmuş ve ailesi tarafından dünyayı bilim yoluyla anlayabilsin diye eğitilmiştir. Henüz çocukken bir meşe ağacına yıldırım düştüğünü görüp kendi kendine şu soruyu sormuştur: Acaba hayat oradan mı geliyor? İnsanlık insanın kendisi tarafından yaratılabilir mi?

Mitolojide insanlığa yardım etmek için tanrılardan ateşi çalan Prometheus'un modern bir versiyonu gibi –yazarın alt başlığı "Modern Prometheus" şeklindedir ama bunu kimse hatırlamaz– Tanrı'nın eserini kendi başına yaratabilmek için çalışmaya koyulur. Ama bilindiği üzere, yaptığı deney kontrolünden çıkar.

Kitabın ismi *Frankenstein*'dır.

* * *

Ey, her gün daha az düşünsem de başım sıkıştığında tek güvendiğim Tanrı'm, kendimi burada bulmam bir tesadüf müdür? Yoksa senin görünmez ve amansız elin midir beni bu şatoya getirip bu hikâyeyi hatırlamamı sağlayan?

Mary, Shelley'yle tanıştığında on beş yaşındaymış – Shelley evli bir adam olsa da Mary toplumun âdetlerine boyun eğmemiş ve hayatının aşkı olarak gördüğü erkeğin peşinden gitmiş.

On beş yaşında bir kız! Hem ne istediğini hem de istediğine nasıl ulaşacağını tam olarak bilen bir kız. Ben otuz bir yaşındayım, habire başka bir şey arzuluyorum ve arzuladığıma erişmeyi beceremiyorum, tek elimden gelen, bir sonbahar ikindisinde içim hüzün ve romantizmle dolup taşarken yürüyüş yapmak, doğru an geldiğinde söyleyeceklerim için ilham aramak.

Ben Mary Shelley değilim. Ben Victor Frankenstein ile canavarıyım.

Bir ölüye can vermeye çalıştım ve bunun sonuçları kitaptakiyle aynı olacak; etrafa korku ve yıkım saçacak.

Gözyaşım kalmadı. Umutsuzluğum dahi tükendi. Sanki kalbimin pes etmişliği bedenime yansıyor çünkü hareket edemiyorum. Sonbaharda olduğumuzdan hava hemen kararıyor ve güzelim günbatımı yerini çabucak alacakaranlığa bırakıyor. Akşam olduğunda hâlâ aynı yerde oturmaktayım, şatoyu ve XIX. yüzyıl başındaki Cenevre burjuvazisi karşısında hayrete kapılan ziyaretçileri izliyorum.

Canavara can veren yıldırım nerede?

Yıldırım ortalarda görünmüyor. Bölgenin zaten seyrek olan trafiği daha da azalıyor. Çocuklarım akşam yemeğini hazırlamamı bekliyor –durumumu bilen– kocamsa çok geçmeden endişelenmeye başlayacak. Bense ayaklarıma demir gülleler bağlanmış gibiyim, hâlâ kımıldayamıyorum.

Ben bir kaybedenim.

Başkasının yüreğinde imkânsız bir sevgi uyandıran insan özür dilemeye mecbur bırakılabilir mi?

Hayır, kesinlikle bırakılamaz.

Çünkü Tanrı'ya duyduğumuz sevgi de imkânsızdır. Sevgisine asla aynı seviyede karşılık veremeyiz, yine de O, bizi sevmeye devam eder. Bizi öyle çok sevmiştir ki biricik oğlunu sevginin Güneş'i ve yıldızları hareket ettiren güç olduğunu anlatsın diye bize göndermiştir. Korint'lilere mektuplarından birinde (ki okulda bunları ezbere öğrenmeye mecburduk) havarilerden Pavlus şöyle der:

> Ben insanların ve meleklerin dilini konuşsam da söylediklerimde Sevgi olmadığı sürece sesim borazanın zırlamasından, zillerin şangırdamasından farksız çıkar.

Neden böyle olduğunu hepimiz biliriz. Sıklıkla dünyayı değiştireceği söylenen büyük fikirler duyarız. Ama bunlar duygusuzca söylenmiş, Sevgi'den yoksun sözlerdir. Ne kadar mantıklı ve zekâ dolu olsalar da yüreğimize dokunmazlar.

Pavlus Sevgi'yi Kehanet'le, Gizemler'le, İman'la ve Merhamet'le karşılaştırır.

Neden Sevgi, İman'dan daha önemlidir?

Çünkü İman bizi Aşkların En Büyüğü'ne taşıyan bir yoldan ibarettir.

Neden Sevgi, Merhamet'ten daha önemlidir?

Çünkü Merhamet, Sevgi'nin kendini belli etme biçimlerinden biridir. Bütün, daima parçalardan daha önemlidir. Dahası Merhamet de Sevgi'nin insanların yakınlarıyla birleşmelerini sağlamak için kullandığı birçok yoldan biridir.

Hepimizin bildiği üzere dünyada Sevgi'den yoksun merhamet çoktur. Buralarda her hafta hayır balosu denerek bir "merhamet" balosu düzenlenir. İnsanlar servet değerinde paralar akıtıp masalar ayırtarak baloya katılırlar, pahalı mı pahalı mücevherlerini ve giysilerini kuşanarak eğlenirler. Böyle yerlerden çıktığımızda Somali'deki fakirler, Yemen'deki mazlumlar, Etiyopya'daki açlar için topladığımız paralar sayesinde dünyanın daha iyi bir yere dönüştüğüne inanırız. Gözümüzün önünde zalimce olup biten sefaletten dolayı suçluluk duymayı bırakırız ama bu paraların nereye gittiğini kendimize hiç sormayız.

Çevresi baloya davet edilecek kadar geniş olmayanlar ya da böyle savurganlıklara gücü yetmeyenlerse yolda gördükleri dilencilere para verirler. Aman ne yaman. Sokakta dilenen birinin önüne bozukluk atmak kolaydır. Hatta genelde dilenciye para atmak, atmamaktan daha kolaydır.

Tek bir madenî para içimizi nasıl da rahatlatır! Hem bize ucuza gelir hem de dilencinin derdini çözer.

Halbuki dilenciyi gerçekten sevseydik onun için çok daha fazlasını yapardık.

Ya da hiçbir şey yapmazdık. Bozukluk falan vermezdik ve –kim bilir?– karşımızdaki sefaletten duyduğumuz suçluluk içimizde gerçek Sevgi'yi uyandırırdı.

Pavlus daha sonra Sevgi'yi fedakârlıkla ve şehitlikle karşılaştırır.

Bugün onun sözlerini daha iyi anlıyorum. Ben dünyanın en başarılı kadını da olsam, Marianne König'den daha fazla hayranlık uyandıran ve arzulanan bir kadın olsam bile kalbimde sevgi olmadıkça bütün bunların hiç önemi yok. *Hiç.*

Sanatçılar ve siyasetçilerle, sosyal yardım memurları ve doktorlar, öğrenciler ve kamu çalışanlarıyla yaptığım röportajlarda daima sorduğum bir soru vardır: "Çalışmaktaki amacınız nedir?" Kimileri aile kurmak olduğunu söyler. Kimileriyse kariyer yapmak. Ama ısrar edip biraz daha derinlere indiğimde hemen hepsinin cevabı aynıdır: Dünyayı değiştirmek.

İçimden altın yaldızlı harflerle bir bildiri hazırlatmak, sonra da Pont du Montblanc'a gidip geçen her arabaya ve insana bu bildiriyi dağıtmak geliyor. Şöyle diyecek:

> Bir gün insanlığın hayrına çalışmak isteyenlere yalvarırım: Asla, bedenleriniz Tanrı adına yakılmış olsa dahi unutmayın ki içinizde Sevgi yoksa başka şeylerin hiç önemi yoktur. Hiç!

Hayatımızda bağışlayabileceğimiz en önemli şey Sevgi'nin yansımasıdır. Gerçek evrensel lisan budur, Çince ya da Hindistan'ın lehçelerini konuşabilmemizi sağlar. Gençliğimde çok seyahat ettim – o zamanlar seyahat etmek öğrencilerin yetişkinliğe geçiş ritüelinin bir parçasıydı. Fakir ve zengin ülkeleri gezdim. Hemen hiçbir zaman konuşulan dilleri bilmiyordum. Ama Sevgi'nin sessiz belagati sayesinde nereye gitsem derdimi anlatabildim.

Sevgi'nin çağrısı sözlerimde ve hareketlerimde değil, hayatı yaşayış biçimimdedir.

Korint'lilere mektubundaki üç kısa ayette Pavlus, Sevgi'nin birçok farklı şeyden meydana geldiğini söyler. Tıpkı ışık gibi. Okuldayken, bir prizma alıp bir güneş ışınına tutarsak prizmanın içinden geçen ışının bölünerek gökkuşağının renklerini alacağını öğrenmiştik.

Pavlus bize Sevgi'nin gökkuşağını gösterir, tıpkı güneşe tutulan bir prizmanın ışığın gökkuşağını gösterdiği gibi.

Peki bu gökkuşağı hangi unsurlardan meydana gelir? Her gün kulağımıza çalınan ve istediğimiz anda uygulamaya koyabileceğimiz meziyetlerdir bunlar.

Sabır: *Sevgi sabırlıdır,*

İyilik: *iyidir,*

Cömertlik: *Sevgi hasetle yanmaz,*

Tevazu: *kendini övmez, kibirlenmez,*

Zarafet: *Sevgi uygunsuzluk etmez,*

Fedakârlık: *kendi çıkarını düşünmez,*

Hoşgörü: *öfkeye kapılmaz,*

Masumiyet: *kendine kötülük yapana kin beslemez,*

Samimiyet: *adaletsizlik karşısında sevinmez ama hakikatler karşısında havalara uçar.*

Bütün bu nitelikler günlük yaşantımızla, dünümüz ve bugünümüzle, Sonsuzluk'la ilişkilidir.

Esas sorun, insanların bunu Tanrı'ya duyulan Sevgi' yle ilişkilendirmesidir. Oysa Tanrı'ya duyulan sevgi belli edilir. İnsanlara sevgi göstererek.

Tanrı katında huzura ulaşmak için sevgiyi Yeryüzü'ndeyken bulmak gerekir. O olmadan hiçbir değerimiz yoktur.

Ben seviyorum ve kimse bu duyguyu benden ayıramaz. Bana daima destek olan kocamı seviyorum. Ayrıca ergenlik çağımda tanıştığım bir adamı sevdiğime inanıyorum. Güzelim bir sonbahar ikindisinde ona doğru yürürken zırhımı yere bıraktım ve bir daha da kuşanamadım. Savunmasızım ama pişman değilim.

Bu sabah, kahvemi içerken dışarıdaki tatlı aydınlığa bakınca aklıma bu yaptığım yürüyüş geldi ve kendime son kez sordum: Acaba kuruntularımı bastırmak için gerçek dertler mı yaratıyorum? Gerçekten âşık mıyım, yoksa son aylarda hissettiğim bütün tatsızlıkları bir hayale mi havale ettim?

Hayır. Tanrı adaletsiz değildir ve karşılık bulamayacağım bir aşka kapılmama asla izin vermez.

Yine de, bazen sevgi uğruna mücadele etmek gerekir. Ben de böyle yapacağım. Adalet uğruna, öfkelenmeden ve sabırsızlığa kapılmadan kötülükleri kendimden uzaklaştıracağım. Marianne'dan uzaklaşıp bana yakınlaşınca Jacob bana hayatının sonuna dek minnettar kalacak.

Veya benden de ayrılacak ama en azından elimden geleni yaptığımı bileceğim.

Artık yeni bir kadınım. Özgür iradesiyle, kendiliğinden bana gelmeyen bir şeyin peşine düşüyorum. O evli bir adam ve attığı her yanlış adımın kariyerini tehlikeye sokabileceğine inanıyor.

Öyleyse dikkatimi neye vermeliyim? Evliliğini o fark etmeden bozmaya.

Hayatımda ilk kez bir torbacıyla buluşacağım!

Kendini dünyadan ayırmaya karar vermiş ve bu kararından son derece mutlu bir ülkede yaşıyorum. Cenevre'nin çevresindeki köyleri gezerken ilk öğreneceğiniz şey, arabanızı park edecek hiçbir yerin bulunmadığıdır, bir tanıdığınızın garajını kullanmıyorsanız tabii.

Mesaj açıktır: Buraya gelme yabancı; çünkü aşağıdaki gölün manzarası, ufuktaki Alpler'in ihtişamı, ilkbaharda kır çiçekleri, sonbahardaysa altın sarısına bürünen bağlar, hepsi bize buralara ellerini kollarını sallayarak gelen atalarımızdan miras kalmıştır. Bunun böyle devam etmesini istiyoruz, işte bu yüzden sakın gelme, yabancı. Komşu kentten bile olsan söyleyeceklerin hiç ilgimizi çekmiyor. Arabanı park etmek istiyorsan büyük şehirlere git, oralar bu işe ayrılmış yerlerle doludur.

Dünyadan öyle ayrıyız ki hâlâ büyük bir nükleer savaş tehdidi bulunduğuna inanırız. Ülkedeki her binanın nükleer saldırıya karşı sığınağının olması zorunludur. Geçenlerde bir meclis üyesi bu konudaki yasayı kaldırtmaya çalışınca meclisin muhalefetiyle karşılaştı: Evet, nükleer savaş asla çıkmayabilir, peki ya kimyasal silah tehdidi? Vatandaşlarımızı korumamız gerek. Böylece pahalı mı pahalı nükleer sığınakların inşası devam eder. Ve bu sığınaklar asla gelmeyecek kıyamet gününe dek şarap mahzeni ve kiler olarak kullanılır.

Ancak, her ne kadar huzurun hüküm sürdüğü bir adacık olarak kalmak için uğraşıp dursak da sınırı geçmesini engelleyemediğimiz bazı şeyler var.

Örneğin, uyuşturucular.

Eyalet yönetimleri satış noktalarını kontrol etmeye çalışırlar ve alıcıları görmezden gelirler. Adeta bir cennette yaşamamıza rağmen trafik, sorumluluklar, faturalar ve sıkıntılarımızdan dolayı hepimiz stresli değil miyiz? Uyuşturucular verimliliği artırır (örneğin kokain) ve gerginliği azaltır (örneğin haşiş). Bizler yine de, dünyaya kötü örnek olmamak için, uyuşturucuları hem yasaklarız hem de hoş görürüz.

Yine de, sorunun boyutu artmaya başladığında, "tesadüf eseri" bir ünlü, üzerinde gazetecilikteki tabiriyle "uyuşturucu maddeler" bulunarak tutuklanır. Olay medyaya yansıtılır ki gençlere ibret olsun, halk hükümetin duruma hâkim olduğunu sansın ve yasaları çiğneyenlerin başına gelenleri görsün!

Bu vakalar senede en fazla bir kez görülür. İnsanlar kalkıp da Pont du Montblanc'ın altındaki geçitte her gün bekleşen torbacılardan alışveriş yapmaya senede sadece bir kez gitmiyorlardır herhalde. Öyle olsaydı torbacılar müşteri bulamayıp çoktan dağılırlardı.

Oradayım. Yanımdan aileler gelip geçiyor, şüpheli tiplerse başkalarına aldırmadan ve kimseyi rahatsız etmeden her zamanki yerlerinde duruyorlar. Sadece, yanlarından yabancı dilde konuşan genç çiftler geçtiğinde ya da altgeçitten geçen takım elbiseli bir işadamı bir an sonra dönüp satıcıların gözlerinin içine baktığında durum değişiyor.

Önlerinde durmadan geçidin karşı tarafına gidiyorum, bir şişe su satın alıp hayatımda görmediğim birine havanın soğuduğundan yakınıyorum. Söylediklerime karşılık vermiyor, kendi dünyasına dalıp gitmiş. Geri dönüyorum, adamlar hâlâ aynı yerdeler. Bakışıyoruz ama geçit birden kalabalıklaşıyor, ki bu nadir görülür. Öğle tatili saatindeyiz, normalde bu saatte insanlar semtin birbirinden pahalı lokantalarını doldurarak önemli iş görüşmeleri yapar ya da şehre iş bulmaya gelmiş turist kızları kandırmaya çalışırlar.

Biraz daha bekleyip önlerinden üçüncü kez geçiyorum. Aralarından biriyle bakışıyorum, başını hafifçe sallayarak kendisini takip etmemi işaret ediyor. Böyle bir çağrıyı kabul edeceğimi hiç düşünmezdim ama bu yıl her şey o kadar farklı ki artık davranışlarıma şaşırmıyorum.

Kayıtsız bir ifade takınıp peşinden gidiyorum.

İki-üç dakika boyunca yürüyüp İngiliz Bahçesi'ne geliyoruz. Şehrin simgelerinden sayılan, çiçeklerden yapılmış saatin önünde fotoğraf çektiren turistlerin yanından geçiyoruz. Disneyland'da yaşıyormuşuz gibi gölün etrafında gidip gelen trenin durduğu küçük istasyonu geride bırakıyoruz. Sonunda gölün kıyısına gelip suya bakıyoruz. Sevgililer gibi Jet d'Eau adlı, yüz metre yükseğe su fışkırtan ve uzun zaman önce Cenevre'nin simgesi haline gelen dev fıskiyeyi izliyoruz.

Adam bir şey dememi bekliyor. Oysa kendimden emin hallerime rağmen sesimin titremeden çıkacağına şüpheliyim. Ses çıkarmıyorum ve onu sessizliği bozmaya zorluyorum:

"Ganja mı, peynir mi, kâğıt mı, barut mu?"

İşe bak. Hiçbir fikrim yok. Ne cevap vereceğimi bilemiyorum ve torbacı bir çaylakla karşı karşıya olduğunu anlıyor. Sınandım ve sınıfta kaldım.

Gülüyor. Beni polis mi sandığını soruyorum.

"Tabii ki hayır. Polis olsan söylediğimi anlardın."

Bunu ilk kez yaptığımı söylüyorum.

"Belli zaten. Senin gibi şık giyimli kadınlar asla buraya kadar gelmezler. Ya yeğenlerinden isterler ya da işyerindeki arkadaşlarından otlanırlar. Seni bu yüzden gölün kıyısına kadar getirdim. Alışverişi yürürken halledebilirdik, bunca vakit kaybetmezdim ama tam olarak ne istediğini ve tavsiyeme ihtiyacın olup olmadığını bilmem lazım."

Vakit falan kaybetmiyor. Altgeçitte sıkıntıdan patladığına eminim. Önünden üç kez geçtim, bir seferinde bile yanında müşteri görmedim.

"Tamam, şimdi anlayacağını düşündüğüm bir dilde tekrarlayacağım: haşiş mi, amfetamin mi, LSD mi, kokain mi?"

Crack veya eroin var mı, diye soruyorum. Onların yasak olduğunu söylüyor. İçimden saydığı bütün uyuşturucuların yasak olduğunu söylemek geçiyor ama kendimi tutuyorum.

Kendim için değil, diye açıklıyorum. Bir düşmanım için.

"İntikam mı alacaksın yani? Birini doz aşımından öldürmeyi mi planlıyorsun? Öyle şeyle işimiz olmaz, başka yerde arayacaksın."

Arkasını dönüyor ama kolundan tutup beni dinlemesini söylüyorum. Konuya olan ilgimin fiyatları ikiye katladığının farkındayım.

Bildiğim kadarıyla söz konusu kişi uyuşturucu kullanmıyor, diye açıklıyorum. Ama aşk ilişkime ciddi şekilde zarar verdi. Tek istediğim ona bir tuzak kurmak.

"Bu Tanrı'nın gözünde ahlaksızlıktır."

Olacak şey değil: Bağımlılık yaratan, ölüme dahi yol açabilen maddeler satan bir adam beni doğru yola çağırıyor!

Ona "öykümü" anlatıyorum. On yıldır evliyim, birbirinden harika iki oğlum var. Kocamla ben aynı model ceptelefonunu kullanıyoruz ve iki ay önce yanlışlıkla onun telefonunu elime aldım.

"Şifresi yok muydu?"

Tabii ki yok. Birbirimize güveniriz. Yoksa onunkinde şifre vardı da o sırada mı yoktu? Neyse, asıl önemlisi, kocamın telefonunda dört yüz küsur mesaj ve çekici, sarışın, hali vakti yerinde görünen bir kadının fotoğraflarını buldum. Yapmamam gerekeni yaptım: Ortalığı birbirine kattım. Kocama bu kadın kim diye sorduğumda benimle hiç tartışmadı – âşık olduğu kadın olduğunu söyledi. Hatta kendisi bana anlatmak zorunda kalmadan ben keşfettim diye sevindi.

"Böyle olayları çok duyarım."

Torbacı birden vaizden evlilik danışmanına dönüştü! Bense anlatmaya devam ediyorum – çünkü her şeyi oracıkta uyduruyorum ve anlattıkça şevke geliyorum. Kocama evden ayrılmasını söyledim. Kabul etti ve ertesi gün beni iki çocuğumla bırakıp hayatının aşkının yanına taşındı. Ama kadın onu hiç hoş karşılamadı, ne de olsa evli bir erkekle ilişki sürdürmek, seçmediği bir kocayla yaşamak zorunda kalmaktan daha çekiciydi.

"Ah kadınlar! Sizleri anlamak imkânsız!"

Bence de. Öyküme devam ediyorum: Kadın onunla yaşamaya hazır olmadığını söyleyip her şeyi oracıkta bitirdi. Çoğu benzer durumda olduğunu tahmin ettiğim gibi kocam eve dönüp benden af diledi. Affettim. Aslında tek istediğim onun eve dönmesiydi. Ben aşka önem veren bir kadınım ve sevdiğim kişiden uzak yaşayamam.

Ama şimdi, birkaç hafta önce, kocamda yine bir değişiklik hissettim. Ceptelefonunu ortada bırakmayacak kadar akıllandığı için yeniden görüşmeye başladılar mı bilmiyorum. Ama böyle olabileceğinden şüpheleniyorum. Bu kadın –bu sarışın, özgür, alımlı ve güçlü işkadını– hayatımdaki en önemli şeyi elimden alıyor: sevgiyi. Torbacı aşk nedir bilir mi acaba?

"Ne yapmak istediğini anladım. Ama bu çok tehlikeli bir iş."

Anlatmam bitmemişken ne yapmak istediğimi nereden anladı ki?

"Bahsettiğin kadını tuzağa düşüreceksin. İstediğin şeyden bizde yok. Ama planını uygulamak için en az otuz gram kokain gerekir."

Ceptelefonunu çıkarıp bir şeyler yazıyor ve bana gösteriyor. Ekranda CNN Money sitesinden bir sayfa var, sayfada uyuşturucu fiyatları yazılı. Şaşırıyorum ama hemen bunun yeni bir araştırma olduğunu anlıyorum, büyük uyuşturucu kartellerinin yaşadıkları zorluklar hakkında bir haberde geçiyor.

"Gördüğün gibi, bunun tutarı beş bin İsviçre frangı. Değer mi? Bu kadının evine gidip olay çıkarsan daha ucuz olmaz mı? Hem anladığım kadarıyla kadının olanlarda hiçbir suçu olmayabilir bile."

Vaizden evlilik danışmanına dönüşmüştü. Şimdi de evlilik danışmanından mali danışmana dönüştü, paramı çarçur etmemem için bana öğütler veriyor.

Riski göze aldığımı söylüyorum. Haklı olduğumu biliyorum. Hem neden on değil de otuz gram?

"Torbacı olarak suçlanabilmek için en az otuz gram taşımak gerekiyor. Satmanın cezası kullanıcılarınkine göre çok daha ağır. Bunu yapmak istediğine emin misin? Çünkü kendi evine ya da o kadının evine gidene kadar bile tutuklanabilirsin, sonra uyuşturucunun sende ne işi var, açıklayamazsın."

Bütün torbacılar böyle midir yoksa ben mi özel bir torbacıya denk geldim? Oturup bu görmüş geçirmiş, tecrübeli adamla laflamayı çok isterdim. Ama belli ki oldukça meşgul. Yarım saat sonra yanımda parayla aynı yere gelmemi söylüyor. Yakındaki bir ATM'ye gidiyorum, kendi saflığıma kendim şaşırıyorum. Torbacılar asla üstlerinde büyük miktarda uyuşturucu taşımazlar. Taşırlarsa yasalar önünde torbacı muamelesi görürler!

Döndüğümde beni bekliyor. Kimselere belli etmeden parayı teslim ettiğimde bana bulunduğumuz yerden görebileceğimiz bir çöp tenekesini işaret ediyor.

"Lütfen, ürünü o kadının ulaşabileceği bir yere koyma çünkü başka bir şey sanıp içerse sonucu felaket olur."

Benzersiz bir adam bu; her şeyi düşünüyor. Uluslararası bir şirkette yöneticilik yapsaydı kâr payı dağıtımından servet kazanırdı.

Konuşmaya devam etmeyi düşündüğüm sırada yanımdan uzaklaşıyor. Tekrar gözlerimi işaret ettiği yere çeviriyorum. Ya oraya hiçbir şey koymadıysa? Ama böyle adamlar itibarlarına önem verirler ve böyle numaralar yapmazlar.

Çöp tenekesinin yanına gidip etrafa bakıyorum, içindeki kahverengi zarfı alıp çantama koyuyorum ve hemen bir taksiye atlayıp gazetedeki yerime gidiyorum. İşe yine geç kaldım.

* * *

Elimde suça dair kanıt var. Neredeyse hiçbir ağırlığı olmayan bir şeye karşılık bir servet verdim.

İyi de torbacının beni kandırmadığını nereden bileceğim? Bunu bizzat keşfetmem gerekecek.

Ana karakterlerin uyuşturucu bağımlısı olduğu birkaç film kiralıyorum. Kocam yeni ilgi alanımı görünce şaşırıyor.

"Bu işlere bulaşmayı düşünmüyorsun, değil mi?"

Tabii ki düşünmüyorum! Gazete için bir araştırma yapıyorum, o kadar. Bu arada yarın eve geç geleceğim. Lord Byron'un şatosu hakkında bir yazı yazmaya karar verdim ve oraya uğramak istiyorum. Endişelenecek bir durum yok.

"Endişelenmiyorum ki. Bence Nyon'a gezmeye gittiğimiz o günden beri seni çok daha iyi görüyorum. Daha sık seyahat etmeliyiz, yılbaşında bile olabilir. Gelecek sefere çocukları anneme bırakırız. Bu konudan anlayan birileriyle konuştum."

"Konu" derken herhalde depresyon halimi kastediyor. Kimle konuşmuş acaba? Kafayı bulur bulmaz boşboğazlığa başlayan şu arkadaşlarından biriyle mi?

"Hiç alakası yok. Bir çift terapistiyle konuştum."

Korkunç bir şey bu! Golf kulübündeki o berbat günde son duyduğum şey de çift terapisi olmuştu. Bu ikisi benden gizli görüşüyor olabilirler mi acaba?

"Derdin benden kaynaklanıyor olabilir. Sana hak ettiğin ilgiyi göstermedim. Sürekli işimden ya da yapmamız gereken şeylerden bahsediyorum. Ailemizi mutlu kılan duygusallığımızı kaybettik. Sırf çocuklarımızla ilgilenmek yetmiyor. Hâlâ genciz, daha fazlasını istemeliyiz. Yine Interlaken'a gitmeye ne dersin? Birlikte ilk seyahatimizde oraya gitmiştik. Jungfrau'nun yamaçlarına tırmanıp tepeden manzarayı izleyebiliriz."

Çift terapistiyle konuşmuş! Bir bu eksikti.

Aramızda geçen bu konuşma aklıma bir atasözünü getirdi: Körlerin en fenası, görmek istemeyendir.

Nasıl olur da beni yalnız bıraktığını düşünebilir? Onu yatakta kolları ve bacakları açık şekilde karşılamayan bensem bu saçma fikri nereden çıkardı?

İkimiz ateşli bir cinsel ilişki yaşamayalı epey oldu. İlişkinin sağlıklı biçimde yürümesi için geleceğe dair planlar yapmak veya çocuklar hakkında konuşmaktan daha önemlidir bu. Interlaken'ı düşününce aklıma akşamüstü sokaklarda gezinmelerimiz geliyor – çünkü günün geri kalanını otel odamıza kapanıp ucuz şarap eşliğinde sevişerek geçiriyorduk.

Birini sevdiğimizde onun sadece ruhunu tanımakla yetinmeyiz; bedenini de öğrenmek isteriz. Buna gerek var mıdır? Bilmiyorum ama içgüdülerimiz bizi buna iter. Ne zaman gerçekleşeceği ve kuralları hiç belli değildir. Tek yol bizzat keşfetmekten geçer, çekingenlik yerini arsızlığa bırakır, hafif inlemeler çığlıklara veya küfürlere dönüşür. Evet, küfürlere – erkekler içimdeyken ayıp ve "pis" sözler işitmeye ihtiyaç duyarım.

Böyle anlarda hep aynı sorular gelir: "Canını yakıyor muyum?" "Hızlanmamı veya yavaşlamamı ister misin?" Bunlar vakitsiz ve yersiz sorulardır ama başlangıç döneminin, birbirini tanımanın ve birbirine saygı duymanın birer parçasıdır. Kusursuz bir yakınlık kurabilmek için konuşmak çok önemlidir. Aksi takdirde sessiz kızgınlıklar ve aldatıcı memnuniyetler kaçınılmazdır.

Derken evleniriz. Aynı şekilde devam etmeye çalışırız ve başarırız da – benim durumumda ilk hamileliğime kadar sürdürdük. Sonra aniden her şeyin değiştiğini fark ettik.

- Seks, artık sadece geceleri, tercihen uyumadan önce, iki tarafın da kabullendiği bir zorunluluk gibi, kimse birbirine isteyip istemediğini sormadan yapılır. Arası fazla açıldığında karşı tarafı şüphelendirdiği için bu merasimi aksatmamak önemlidir.
- İyi geçmediyse hiçbir şey söyleme çünkü yarın daha iyi olabilir. Nasılsa evliyiz, önümüzde koca bir ömür var.
- Keşfedilecek bir şey kalmamıştır ve aynı şeylerden olabildiğince zevk almaya çalışırız. Bu her gün aynı markanın aynı çeşit çikolatasını yemeye benzer: Fedakârlık sayılmaz ama bundan başka hiçbir şey yok mudur acaba?

Elbette vardır: *sex shop*'lardan satın alınabilen oyuncaklar, *swing* kulüpleri, üçüncü kişileri davet etmek, alışılmadık şeylere açık arkadaşların evlerindeki cüretkâr eğlencelerde yenilikler denemek.

Bütün bunlar benim için fazlasıyla riskli. Sonunun nereye varacağı hiç belli olmaz, en iyisi kurcalamamak.

Günler böyle geçip gider. Arkadaşlatımızla konuşunca eşzamanlı orgazm –birlikte, aynı anda, birbirinin aynı bölgelerine dokunarak ve bir ağızdan inleyerek uyarılma– hikâyesinin bir efsaneden ibaret olduğunu keşfederiz. Dikkatimi yaptığım şeye vermem gerekirken nasıl zevk alabilirim ki? Bence en doğalı: Sen bana dokun, beni kızıştır, sonra ben de aynısını sana yapayım.

Ama çoğunlukla böyle olmaz. Birleşme "kusursuz" olmalıdır. Başka bir deyişle, böyle bir şey yoktur.

Hem inlemelere dikkat etmek gerek ki çocuklar uyanmasın.

Ah, nihayet bitirmeyi başardın karıcığım/kocacığım, öyle yorgunum ki nasıl dayandım anlamadım. Sen yok musun, sen! İyi uykular.

Ta ki iki tarafın da bu işin rutini bozmadan yürümeyeceğini fark ettiği güne dek. Ama *swing* kulüplerine, nasıl kullanıldığını doğru düzgün anlayamadığımız aletlerle dolu *sex shop*'lara ya da yeni şeyler keşfetmeden duramayan çılgın arkadaşlarımızın evlerine gitmek yerine... çocuklardan ayrı vakit geçirmeye karar veririz.

Romantik seyahatler planlarız. Bizi hiçbir sürprizin beklemediği, her şeyin önceden belirlenip ona göre organize edildiği seyahatler.

Sonra da bunun harika bir fikir olduğunu düşünürüz.

Sahte bir e-posta hesabı oluşturdum. Uyuşturucu hazır, bizzat test ettim (ardından da bunu *bir daha asla* yapmayacağıma yemin ettim; çünkü harika bir histi).

Üniversiteye kimseye görünmeden girip delili Marianne'ın masasına nasıl bırakacağımı biliyorum. Tek bilmediğim, onun hemen açmayacağı çekmecenin hangisi olduğu, planımın belki de en riskli kısmı bu. Ama torbacı böyle yapmamı önerdi ve tecrübeye kulak vermek gerek.

Hiçbir öğrenciden yardım isteyemem, her şeyi yalnız başıma yapmalıyım. Kocamın "romantik rüyasını" körüklemekten ve Jacob'un telefonunu aşk ve ümit dolu mesajlarımla doldurmaktan başka bir şey gelmiyor elimden.

Torbacıyla konuşurken aklıma bir fikir geldi ve bu fikrimi hemen uyguladım: Jacob'un ceptelefonuna her gün aşk ve teşvik dolu cümlelerden oluşan mesajlar göndermek. Bunun iki işlevi olabilir. İlki, Jacob'a yanında olduğumu ve golf kulübündeki buluşmamızdan dolayı hiç gücenmediğimi belli etmek. İlki işe yaramazsa ikincisi, olur da bir gün Madam König kocasının ceptelefonunu kurcalamaya kalkarsa diye.

Telefonumdan internete girip bana akıllıca gelen bir sözü kopyalıyorum ve "gönder" düğmesine basıyorum.

Seçimlerden beri Cenevre'de dikkate değer hiçbir

şey olmadı. Jacob'un ismi artık gazetelerde görünmediğinden neler yaptığı hakkında en ufak bir fikrim yok. Kamuoyunun ilgisi bugünlerde tek bir konuya odaklanmış durumda: Şehrimiz büyük yılbaşı kutlamasını iptal etmeli mi, etmemeli mi?

Kimi meclis üyelerine göre bu kutlamaya aşırı para harcanıyor. "Aşırı" derken kastettikleri miktarı bulmaksa benim başıma kaldı. Belediyeye gidip harcama miktarını tamı tamına öğrendim: 115.000 İsviçre frangı, yani iki kişinin –mesela benim ve yan masadaki meslektaşımın– yıllık ödediği vergi kadar.

Diğer bir deyişle, abartıdan uzak, makul maaşlı iki vatandaşın ödediği vergiyle binlerce insanı sevindirebilirler. Ama olmaz. Tasarruf etmek gerek; çünkü gelecekte bizi nelerin beklediği hiç belli olmaz. Bu esnada şehrin kasaları dolup taşar. Kışın yollar buz tutmasın, kazalar önlensin diye dökülen tuzun biteceğinden korkulur, kaldırımların habire onarılması gerekir, her yanda kimsenin ne işe yaradığını bilmediği inşaat ve yol çalışmaları vardır.

Mutluluk bekleyebilir. Önemli olan görünüşü kurtarmaktır. Anlamı basit: Zengin mi zengin olduğumuzu aman kimse anlamasın.

Yarın sabah erkenden kalkıp işe gitmem lazım. Jacob mesajlarımı görmezden geldikçe kocamla yakınlaşır oldum. Yine de intikam planımı uygulamaya kararlıyım. Sonuna kadar götürmeye pek isteğim kalmadığı doğru ama başladığım işleri yarıda bırakmayı hiç sevmem. Yaşamak, kararlar verip sonuçlarına katlanmak demektir. Uzun zamandır yapmadığım bir şey bu, belki de yine sabahın köründe yattığım yerden tavanı izliyor olmamın sebeplerinden biridir.

Şu reddeden erkeğe mesaj yollayıp durma hikâyesi tam bir vakit ve para kaybı. Onun mutlu olup olmadığı umurumda değil artık. Hatta iyice üzülsün istiyorum; çünkü ben ona her şeyimle teslim olmuşken o bana çift terapisi yapmamı önerdi.

İşte bu yüzden, sonucunda ruhum arafta yüzyıllar boyunca yanacak olsa da o cadaloz karıyı hapse tıkmam lazım.

Lazım mı dedim? Nereden çıkardım bunu? Yorgunum, çok yorgunum ve uyuyamıyorum.

"Evli kadınlarda bekâr kadınlara göre daha fazla depresyon vakası görülür," deniyordu bugün gazetede çıkan bir makalede.

Okumadım. Ama bu sene çok, hem de çok tuhaf geçmekte.

Hayatım süper gidiyor, her şey ergenliğimde planladığım gibi gidiyor, mutluyum... ama birden bir şey oluyor.

Tıpkı bilgisayara giren bir virüs gibi. Çok geçmeden çöküş başlar, ağır ama amansız. Her şey yavaşlar. Kimi önemli programlar açık kalabilmek adına hafızayı yer. Bazı dosyalar –fotoğraflar, metinler– arkalarında en ufak bir iz bırakmadan ortadan kaybolur.

Olanlara mantıklı bir açıklama ararız ama bulamayız. Bu meselelerden anlayan arkadaşlarımıza sorarız ama onlar da sorunun kaynağını çözemezler. Bilgisayar ise daha da yavaşlar, ağırlaşır, artık bizim olmaktan çıkmıştır. Yeni sahibi, bulunamayan bir virüstür. Elbette yeni bir bilgisayar alabiliriz ama eski bilgisayarımızda sakladığımız, yıllarca uğraşıp düzenlediğimiz dosyalara ne olur?

Bu hiç adil değil.

Olanlar üzerinde en ufak bir kontrolüm bile yok. Kendisine musallat olduğumu düşünürse şaşırmayacağım bir adama çılgınca tutulmuş haldeyim. Bana yakın görünen ama zaaflarını ve zayıflıklarını asla göstermeyen bir adamla evliyim. Hayatımda sadece bir kez gördüğüm birini, içimdeki dertleri bastıracağı bahanesiyle mahvetmeyi arzuluyorum.

Çevremdekiler zamanın her şeyin ilacı olduğunu söylüyorlar. Ama bu doğru değil.

Galiba zaman sadece daima hatırlamak istediğimiz iyi şeylerin ilacı. "Hiç hayale kapılma, gerçekler aynen gördüğün gibi," diyor bize. Dolayısıyla moralim düzelsin diye okuduklarım pek aklımda kalmıyor. Ruhumdaki bir delik bütün pozitif enerjimi emiyor, geriye sadece boşluk kalıyor. Bu deliği iyi tanıyorum –ne de olsa aylardır onunla birlikte yaşıyorum– ama bu tuzaktan nasıl kurtulacağımı bilmiyorum.

Jacob çift terapisi yapmam gerektiğini düşünüyor. Şefim beni harika bir muhabir olarak görüyor. Çocuklarım davranışımdaki değişikliğin farkındalar ama bir şey sormuyorlar. Kocam hissettiklerimi ancak bir restoranın ortasında ona içimi dökmeye çalıştığımda anlayabiliyor.

Başucumdaki iPad'i elime alıyorum. 365 ile 70'i çarpıyorum. Sonuç 25,350. Normal bir insanın ortalama yaşadığı gün sayısı. Şimdiye kadar kaç günümü böyle harcadım?

Çevremdeki insanlar sürekli her şeyden şikâyet ederler. "Günde sekiz saat çalışıyorum ve terfi alırsam on iki saat çalışmam gerekecek." "Evlendiğimden beri kendime vakit ayıramaz oldum." "Tanrı'yı ararken kendimi dinî ayinlerin, törenlerin ve tarikatların içinde buldum."

Hevesle peşine düştüğümüz her şey –sevgi, iş, iman– yetişkinliğe ulaştığımızda sırtımızda ağır bir yüke dönüşür.

Bundan kurtulmanın tek yolu sevgiden geçer. Sevmek köleliği özgürlüğe dönüştürmektir.

Ama ben şu anda sevemiyorum. Nefretten başka bir şey hissedemiyorum.

Ne kadar saçma gelse de bu durum günlerime anlam kazandırıyor.

Marianne'ın felsefe dersleri verdiği yere geliyorum, buranın Cenevre Üniversitesi Hastanesi kampüsünün ek binalarından biri olduğunu görünce şaşırıyorum. Acaba özgeçmişine gururla yazdığı bu ünlü ders hiçbir akademik değeri olmayan, branş dışı bir uğraştan ibaret olabilir mi?

Arabamı bir süpermarketin otoparkına bıraktım ve bir kilometre kadar yürüyüp buraya geldim, hoş bir çimenliğin ortasında bir dizi bina var; binalar ufak bir göletin etrafına dizilmiş ve ok şeklinde levhalar sayesinde yolumu buluyorum. Binalar birbiriyle bağlantısız görünse de aslında birbirini tamamlayıcı işleve sahipler: bir tarafta hastanenin yaşlılar kanadı, diğer taraftaysa bir akıl hastanesi. Akıl hastanesi XX. yüzyıl başında inşa edilmiş güzel bir binada; Avrupa'nın dört bir yanından gelen psikiyatrlar, hemşireler, psikologlar ve psikoterapistler burada eğitim görüyorlar.

Havaalanlarının iniş pistlerinin sonundaki direklere benzeyen, tuhaf bir cismin yanından geçiyorum. Ne olduğunu anlamak için yanındaki küçük tabelayı okumam gerekiyor. *Geçit 2000* adlı bir heykelmiş, kırmızı ışıklarla donanmış on adet hemzemin geçit bariyerinden oluşan "görsel bir müzik"miş. Bunu yapan kişinin akıl hastanesindeki hastalardan biri olup olmadığını merak ediyorum ama tabelayı okumaya devam edince eserin ünlü bir kadın heykeltıraşa ait olduğunu keşfediyorum.

Sanata elbette saygımız var. Ama sonra kimse bana gelip herkes normal hikâyesi anlatmasın.

Öğle tatilindeyiz – gün boyunca özgür olduğum tek an bu. Hayatımdaki en ilginç olaylar –kadın arkadaşlarımla, siyasetçilerle, "kaynaklar" ve torbacılarla buluşmalarım– hep öğle tatilinde gerçekleşir.

Derslikler boş olsa gerek. Yemekhaneye gidemem, herhalde Marianne –ya da Madam König– yemekhanenin ortasında sarı saçlarını kaygısızca yana atıyor, bu esnada erkek öğrenciler böylesine çekici bir kadını nasıl ayartabileceklerini düşünürken kız öğrencilerse onu tam bir zarafet, zekâ ve nezaket timsali olarak görüyor olmalılar.

Danışmaya gidip Madam König'in odasının nerede olduğunu soruyorum. Öğle tatilinde olduğunu söylüyorlar (bunu bilmemem imkânsız zaten). Onu mola saatinde rahatsız etmek istemediğimi, odasının kapısında bekleyeceğimi söylüyorum.

Üzerimde baştan aşağı normal, insanın gördükten sonra hemencecik unutuverdiği türden giysiler var. Şüphe uyandırabilecek tek şey, bulutlu bir günde güneş gözlüğü takıyor olmam. Danışmadaki görevlinin gözlüğümün ardındaki yara bantlarını görebileceği şekilde başımı eğiyorum. Yakın zamanda estetik ameliyat yaptırdığım sonucuna varacağı kesin.

Marianne'ın ders verdiği yere doğru ilerliyorum, kendimi böylesine iyi kontrol edeceğimi ben bile beklemezdim. Korkacağımı, yolun yarısında vazgeçeceğimi sanıyordum ama öyle olmadı. İşte buradayım ve gayet rahatım. Bir gün kendim hakkında bir şeyler yazarsam tıpkı Mary Shelley'nin Victor Frankenstein'ı yazarken yaptığı gibi yapacağım: Tek amacım hayatın tekdüzeliğini kırmak, ilginç ve insanı sınayan hiçbir yanı kalmamış yaşamıma anlam katmak. Sonundaysa ortaya masumları tehlikeye atıp suçluları kurtaran bir canavar çıktı.

Herkesin içinde karanlık bir taraf vardır. Herkes mutlak gücün tadını almayı ister. İşkenceler ve savaşlar hakkında okuduğum kadarıyla, ellerine güç geçtiğinde içlerine gizemli bir canavar girmiş gibi başkalarına acı çektiren kişiler akşam eve döndüklerinde tatlı babalara, yurtsever vatandaşlara, mükemmel kocalara dönüşürlermiş.

Hatırlarım da, gençliğimde sevgililerimden biri kaniş köpeğini bana emanet etmişti. O köpekten nefret ederdim. Sevdiğim erkeğin ilgisini onunla paylaşmam gerekirdi. Oysa ben *bütün* sevgisini bana yöneltsin isterdim.

İşte o gün, insanlığın gelişimine hiçbir katkısı olmasa da uysallığı sayesinde sevgi ve ilgi gören bu akılsız hayvandan intikam almaya karar verdim. Süpürge sopasının ucuna bağladığım bir iğneyi vücuduna batırarak ona iz bırakmayacak şekilde zarar vermeye başladım. Köpek ne kadar inleyip havlasa da yorulana kadar durmadım.

Sevgilim döndüğünde her zamanki gibi beni kucaklayıp öptü. Kanişine göz kulak olduğum için teşekkür etti. Seviştik ve hayat eskisi gibi devam etti. Köpekler konuşmaz.

Marianne'ın odasına giderken aklımdan bunlar geçiyor. Ben böyle bir şeyi nasıl yapabilirim? Oysa herkes yapabilir. Karılarına sırılsıklam âşık kocaların akıllarını yitirip onları bıçakladıklarını, sonra da hıçkırıklara boğulup özürler dilediklerini bilirim.

Bizler anlaşılması güç hayvanlarız.

İyi de sırf bana bir partide küstahlık etti diye bunu Marianne'a neden yapıyorum? Neden tehlikeli planlar kurup uyuşturucular satın alıyor ve polise delil olsun diye çalışma masasına bırakmaya çalışıyorum?

O benim başaramadığımı başardı da ondan: Jacob'un ilgisini ve sevgisini kazandı.

Bu cevap yeterli mi? Yeterli olsaydı şu anda insanların %99,9'u birbirini mahvetmeyi planlıyor olurdu.

Çünkü yakınmaktan bıktım. Çünkü bu uykusuz geceler beni delirtiyor. Çünkü deliliğimin içinde memnunum. Çünkü bunu benim yaptığım asla bilinmeyecek. Çünkü bunu takıntı halinde düşünmem bitsin istiyorum. Çünkü ciddi anlamda hastayım. Çünkü bu durumdaki tek kişi ben değilim. *Frankenstein*'ın bugüne kadar okunuyor olması, herkesin bilimadamında ve canavarda kendinden bir parça bulduğundandır.

Duruyorum. "Ciddi anlamda hastayım." Bu gerçek bir olasılık. Belki de buradan derhal çıkmalı ve bir doktor bulmalıyım. Bunu yapacağım ama önce başladığım işi bitirmem lazım, doktorum sonradan polisi arasa da fark etmez – doktor ve hasta mahremiyetini bozmamak uğruna ismimi vermese dahi bir adaletsizliği engellemiş olur.

Odanın kapısına geliyorum. Yol boyunca sıraladığım bütün "çünkü"leri aklımdan geçiriyorum. Yine de tereddüt etmeden içeri giriyorum.

Ve kendimi ucuz, çekmecesiz bir masanın önünde buluyorum. Kıvrık ayaklar üzerinde yükselen ahşap bir levha, o kadar. Ancak birkaç kitap, bir de çanta koymaya yarar.

Bunu tahmin etmeliydim. Hem hayal kırıklığına uğruyorum hem de rahatlıyorum.

Önceden sessizliğin hâkim olduğu koridorlar yeniden canlanmaya başlıyor; insanlar derse dönüyorlar. Arkama bakmadan dışarı çıkıyorum ve insanların geldiği yönde yürüyorum. Koridorun sonunda bir kapı var. Kapıyı açınca yaşlılar hastanesinin karşısına çıkıyorum, küçük bir tepenin üstündeki binanın sağlam duvarları var ve ısıtma sisteminin de kusursuz işlediğine şüphem yok. Binaya girip danışmaya yaklaşıyorum ve uydurduğum bir ismin orada olup olmadığını soruyorum. Aradığım kişinin başka bir yerde olabileceği cevabını alıyorum, Cenevre metrekare başına en çok huzurevi düşen şehir olsa gerek. Hemşire istersem araştırabileceğini söylüyor. Gerekmediğini söylesem de ısrar ediyor:

"Bana hiç zahmet olmaz."

Daha fazla kuşku uyandırmamak için kabul ediyorum. O bilgisayarıyla meşgulken masada duran bir kitabı elime alıp sayfalarını çeviriyorum.

"Çocuklara öyküler," diyor hemşire, gözlerini ekrandan ayırmadan. "Hastalar bayılırlar."

Çok mantıklı. Rasgele bir sayfa açıyorum:

Kediden korktuğu için kederlenen bir farecik varmış. Büyük bir büyücü fareciğe acımış ve onu kediye dönüştürmüş. Ama hayvan bu sefer de köpekten korkmaya başlayınca büyücü onu köpeğe dönüştürmüş.

Bu sefer de kaplandan korkmuş. Büyücü, gayet sabırlı bir biçimde, gücünü kullanıp onu kaplana çevirmiş. Ama bu sefer de avcıdan korkmaya başlamış. Büyücü, sonunda pes etmiş ve hayvanı yeniden fareye dönüştürüp şöyle demiş:

"Sana ne yapsam yardımcı olamam çünkü sen büyüdüğünü hiç anlamadın. En iyisi ilk halinde kalman."

Hemşire hayalimin ürünü hastayı bulmayı başaramıyor. Özür diliyor. Teşekkür edip çıkmaya hazırlanıyorum ama hemşire konuşacak birini bulduğuna memnun gibi görünüyor.

"Estetik yaptırmak işe yarıyor mu dersiniz?"

Estetik mi? Ha, evet. Güneş gözlüklerimin alt tarafından görünen küçük yara bantlarını hatırlıyorum.

"Buradaki hastaların çoğu önceden estetik yaptırmıştır. Ben sizin yerinizde olsam yaptırmam. İnsanın bedeniyle aklı arasında dengesizlik yaratır." Görüşünü sormamıştım ama belli ki içi insanlığa yardım arzusuyla dolu, konuşmaya devam ediyor: "Yaşlılık, yılların geçişini kontrol edebileceğini sananlar için büyük bir travmaya dönüşüyor."

Nereli olduğunu soruyorum: Macar olduğunu söylüyor. Tabii ya. İsviçreliler sorulmadıkça asla görüş belirtmezler.

Yardımından dolayı teşekkür edip dışarı çıkınca gözlüğümü ve yara bantlarını çıkarıyorum. Kılık değiştirmem işe yarasa da planım başarısız oldu. Kampüs yine tenhalaşıyor. Şimdi herkes nasıl düşüneceğini, insanlara nasıl bakacağını, başkalarını nasıl düşünmeye sevk edeceğini öğrenmekle meşgul.

Büyük bir tur atıp arabamı park ettiğim yere dönüyorum. Uzaktan psikiyatri hastanesini görebiliyorum. Acaba beni oraya mı yatırmak lazım?

Hepimiz böyle miyiz, diye soruyorum kocama, çocukları yatırdıktan sonra, biz de uyumaya hazırlananırken.

"Böyle derken?"

Benim gibi, kendimi ya harika hissediyorum ya da berbat.

"Sanırım öyleyiz. İçimizdeki canavar saklandığı yerden çıkmasın diye her an kendimizi kontrol ederek yaşıyoruz."

Doğru.

"Kendi arzuladığımız kişi değiliz. Toplumun talep ettiği kişiyiz. Anne babamızın istediği kişiyiz. Kimseyi hayal kırıklığına uğratmak istemeyiz, sevilmeye çok ihtiyacımız vardır. İşte bu yüzden en iyi yönlerimizi bastırırız. Rüyalarımızın ışığı olarak gördüğümüz şey yavaş yavaş kâbuslarımızın canavarına dönüşür. Gerçekleştirmediğimiz şeyler, yaşamadığımız olasılıklardır bunlar."

Bildiğim kadarıyla eskiden psikiyatri jargonunda buna manik depresif psikoz denirdi, şimdilerdeyse siyaseten doğru görünmek adına bipolar, yani çift kutuplu bozukluk denir oldu. Nereden çıktı bu isim? Kuzey Kutbu'yla Güney Kutbu arasında büyük farklar mı var acaba? Böyle insanlar azınlıkta olsa gerek...

"Elbette bu ikiye ayrımı dışa vuran insanlar bir azınlık. Ama bahse girerim herkesin içinde böyle bir canavar vardır."

Bir yanda masum birini suçlu duruma düşürmek için kalkıp fakülte binasına kadar giden ama içindeki nefretin sebebini açıklamayı doğru düzgün beceremeyen kötü kalpli bir kadın. Diğer yandaysa ailesine karşı sevgi dolu, sevdiklerinin hiçbir eksiği olmasın diye didinen ama bu duyguları koruyacak gücü nereden bulduğunu bir türlü anlayamayan bir anne.

"Jekyll ve Hyde'ı hatırlıyor musun?"

Belli ki ilk basıldığından beri popülerliğini koruyan tek kitap *Frankenstein* değilmiş: Robert Louis Stevenson'un üç günde yazdığı *Dr. Jekyll ve Mr. Hyde* da aynı yolun takipçisi. Kitap XIX. yüzyıl Londra'sında geçer. Doktor ve araştırmacı Henry Jekyll iyilik ve kötülüğün her insanın içinde bir arada var olduğuna inanmaktadır. Sevgilisi Beatrix'in babası dahil tanıdığı herkes bu fikre gülse de teorisini kanıtlamaya kararlıdır. Laboratuvarında yılmadan çalışır ve sonunda bir formül bulmayı başarır. Kimsenin hayatını tehlikeye atmamak için kendi üstünde dener.

Sonuçta –Mr. Hyde adını verdiği– şeytani tarafı gün yüzüne çıkar. Jekyll, Hyde'a dönüşmesini kontrol edebileceğini sansa da çok geçmeden düpedüz yanıldığını anlar: Kötü tarafımız serbest bırakıldığında bütün iyi yönlerimizi gölgede bırakır.

Bu durum herkes için geçerlidir. Tiranlar dahi bundan nasibini alır: Genelde, başlangıçta iyi niyetlerle yola çıksalar da zamanla kendilerince iyi olarak gördükleri şeyleri uygulamak için insan doğasının en fena tarafı olan korku ve dehşeti bir araç olarak kullanmaya başlarlar.

Kafam karıştı ve korkmaya başladım. Bu hepimizin başına gelebilir mi?

"Hayır. Neyin doğru, neyin yanlış olduğunu hakkıyla tartamayan insanlar küçük bir azınlıktır."

Pek de küçük bir azınlık değiller bence; okuldayken benzer bir şey başıma gelmişti. Öğretmenlerimden biri dünyanın en iyi insanı gibi görünse de aniden değişir ve beni serseme çevirirdi. Okula her gün farklı bir ruh halinde geldiğinden bütün öğrencilerin ondan ödü kopardı.

Ama onu kim şikâyet edebilirdi ki? Neticede öğretmenler hep haklıdır. Ayrıca herkes bu öğretmenin evde sorunlar yaşadığını ve yakında düzeleceğini zannederdi. Ta ki bir gün içindeki Mr. Hyde'ın hâkimiyetini kaybedip sınıf arkadaşlarımdan birine vurana dek. Olay müdüre kadar taşındı ve öğretmen okuldan uzaklaştırıldı.

O gün bugündür aşırı sevgi gösteren insanlardan çekinirim.

"Tıpkı *tricoteuse*'ler, yani Fransız Devrimi'ndeki örgücü kadınlar gibi."

Evet, tıpkı fakirlerin karnı doysun ve Fransa XVI. Louis'nin aşırılıklarından kurtulsun diye mücadele veren o emekçi kadınlar gibi. Korku krallığı kurulduğunda erkenden giyotinin kurulduğu meydana gidip en önde yerlerini alır ve örgü örerek idamların başlamasını beklerlermiş. Büyük ihtimalle onlar da günün geri kalanında çocukları ve kocalarıyla ilgilenen annelerdi.

Önlerinde kafalar birbiri ardına kesilirken örgü örmeye devam ederlermiş.

"Sen benden daha güçlüsün. Bu yönüne hep imrenmişimdir. Belki de sana duygularımı pek açık etmememin sebebi budur; zayıf görünmek istemediğimdendir."

Kocam ne dediğinin farkında değil. Ama sohbetimiz sona erdi bile. Bana sırtını dönüp uykuya dalıyor.

Bense "gücümle" baş başa kalıp gözlerimi tavana dikiyorum.

Bir hafta sonra kendi kendime asla yapmayacağıma söz verdiğim bir şey yaparak psikiyatra gitmeye karar veriyorum.

Üç farklı doktordan randevu alıyorum. Ajandaları müthiş dolu – demek ki Cenevre'de sandığımızdan da fazla dengesiz insan varmış. Durumumun acil olduğunu söylediğimde sekreterler her vakanın acil olduğunu belirterek ilgimden dolayı teşekkür etseler de ne yazık ki diğer hastaların önüne geçemeyeceğimi belirtiyorlar.

Başka çarem kalmayınca asla şaşmayan kozumu kullanıyorum ve nerede çalıştığımı söylüyorum. "Gazeteci" sihirli sözcüğünün ardından önemli bir gazetenin ismini söylemek ya insana bütün kapıları açar ya da hepsini kapar. Ama bu kez işe yaracağını önceden biliyordum. Randevularımı sorunsuzca alıyorum.

Kimseye haber vermedim – ne kocama ne de şefime söyledim. İlk psikiyatr İngiliz aksanlı, tuhaf bir adam ve daha baştan sosyal sigorta hastalarını kabul etmediğini söylüyor. İsviçre'de yasadışı olarak çalıştığını düşünüyorum.

Son derece sabırlı bir biçimde başıma gelenleri anlatıyorum. Frankenstein ile canavarını, Dr. Jekyll ile Mr. Hyde'ı örnek gösteriyorum. İçimde giderek büyüyen ve hâkimiyetimden çıkmak üzere olan canavarı kontrol etmeme yardımcı olması için ona yalvarıyorum. Bana ne demek istediğimi soruyor. Bir kadını haksız yere uyuşturucu satıcılığından tutuklatmak gibi sonradan başıma dert açabilecek ayrıntıları vermekten kaçınıyorum.

Yalan söylemeye karar veriyorum: Aklıma canice fikirler geldiğini, kocamı uyurken öldürmeyi düşündüğümü söylüyorum. Birbirimizden ayrı sevgilimiz olup olmadığını sorunca yok, diyorum. Anlattıklarımı gayet iyi anladığını ve böyle düşünmemin normal olduğunu belirtiyor. Bir sene boyunca haftada üç seans tedavi görürsem bu içgüdü %50 oranında azalırmış. Çok şaşırıyorum! Peki ya bu esnada kocamı öldürürsem? Bunun bir "yönlendirme duygusu", bir "hayal" olduğu ve gerçek katillerin yardım isteyen insanlar olmadığı karşılığını veriyor.

Yanından ayrılmadan önce borcumun 250 İsviçre frangı olduğunu söylüyor ve sekreterine bana gelecek haftadan itibaren düzenli olarak randevu vermesini rica ediyor. Teşekkür edip önce ajandama bakmam gerektiğini söylüyorum ve kapısını bir daha dönmemek üzere kapıyorum.

İkinci randevum kadın bir psikiyatrla. Sosyal sağlık sigortasından hasta kabul ediyor ve anlatacaklarımı dinlemeye daha ilgili görünüyor. Kocamı öldürmek istediğim yalanını tekrarlıyorum.

"Ben de bazen benimkini öldürmeyi düşünüyorum," diyor bana, dudaklarında bir gülümsemeyle. "Ama siz de ben de biliyoruz ki kadınlar gizli arzularını gerçekleştirselerdi bütün çocuklar yetim kalırdı. Böyle bir dürtü hissetmeniz gayet normal."

Normal mi?

Bir süre konuşuyoruz. Bana evliliğimin "gözümü korkuttuğunu", "kendimi geliştirecek alan bulamadığıma" şüphesi olmadığını, cinselliğimin "tıbbi literatürde ayrıntılı biçimde açıklanan hormonal rahatsızlıklara yol açtığını" anlattıktan sonra reçete defterini alıp tanınmış bir antidepresan yazıyor. Cehennem azabımın ilaç etkisini gösterene dek, yani bir ay kadar daha süreceğini; ama yakında bütün bunları geride bırakacağımı ve sadece kötü bir anı olarak hatırlayacağımı belirtiyor.

İlaçları almaya devam ettiğim sürece, elbette. Ne kadar sürecek peki?

"Kişiden kişiye değişir. Ama bence üç senenin ardından dozajı azaltabiliriz."

Sosyal sigortanın en kötü tarafı faturanın hastanın evine yollanması. Randevu ücretini nakit ödeyip kapıyı ardımdan kapıyorum ve buraya da bir daha asla dönmeyeceğime yemin ediyorum.

Sonunda üçüncü randevuma gidiyorum. Psikiyatr ilki gibi erkek ve muayenehanesindeki dekorasyonun epey pahalıya patladığı belli. İlk iki doktorun aksine anlattıklarımı ilgiyle dinliyor ve bana hak veriyormuş gibi görünüyor. Sahiden de kocamı öldürme riskim varmış. Potansiyel bir katilmişim. Canavarın kontrolünü kaybedersem onu bir daha kafesine sokamayacakmışım.

Sonunda, bin dereden su getirerek, bana uyuşturucu kullanıp kullanmadığımı soruyor.

Sadece bir kez kullandım, diye karşılık veriyorum.

Bana inanmıyor. Konuyu değiştiriyor. Bir süre günlük hayatımızda göğüslemeye mecbur kaldığımız anlaşmazlıklardan bahsettikten sonra tekrardan uyuşturucu konusunu açıyor.

"Bana güvenebilirsin. Kimse uyuşturucuyu hayatında tek bir kez kullanmaz. Unutma, mesleki mahremiyet dolayısıyla bana söylediklerin güvende. Zaten başkalarına anlatırsam tıbbi lisansımı kaybederim. Bu konuları açıkça konuşmak en iyisi, sonraki randevuya bırakmayalım. İş senin beni doktorun olarak kabul etmenle bitmiyor. Benim de seni hastam kabul etmem lazım. Bu işler böyle yürür."

Hayır, diye üsteliyorum. Uyuşturucu kullanmıyorum. Yasaları biliyorum ve buraya yalan söylemeye gelmedim. Tek istediğim, sevdiğim ve yakınımdaki insanlara zarar vermeden derdimi bir an önce çözmek.

Sakallı ve yakışıklı yüzünde bütün dikkatini bana verdiğini belli eden bir ifade var. Başını olumlu anlamda salladıktan sonra cevap veriyor:

"Senelerce içinde biriktirdiğin bu gerginliklerin tümünden şimdi bir günde kurtulmak istiyorsun. Böyle bir şey ne psikiyatride mümkündür ne de psikanalizde. Biz şaman değiliz, sihirli sözcükler söyleyip kötü ruhları tek seferde kovamayız."

Bunları beni iğnelemek için söylese de aklıma harika bir fikir geliyor. Psikiyatrik yardım arayışım burada sona eriyor.

Post Tenebras Lux. Karanlıktan sonra aydınlık gelir.

Şehrin eski surlarının önündeyim, 100 metre genişliğinde, üzerinde etrafı küçük heykellerle çevrili dört tane adamın heybetli heykellerinin bulunduğu bir anıt bu. Heykellerden biri diğerlerine nazaran daha fazla dikkat çekiyor. Başında şapkası, sakalları uzun, elinde o zamanlar makineli tüfekten dahi güçlü bir silah olan İncil'i tutuyor.

Beklerken düşünüyorum: Şu ortadaki adam bugün dünyaya gelseydi herkes –özellikle de Fransızlar ve dünyanın dört bir yanındaki Katolikler– ona terörist diyecekti. Kendisinin ilahî gerçek bellediği fikirleri hayata geçiriş şekli dolayısıyla onu Usame bin Ladin'in sapkın zihnine denk görüyorum. İkisinin de amacı aynıydı: Tanrı'dan geldiğine inandıkları kanunları çiğneyen herkesin cezalandırıldığı bir teokrasi devleti kurmak.

İkisi de korkuyu amaçlarına ulaşmalarını sağlayacak bir araç olarak kullanmaktan kaçınmadılar.

Bu adamın ismi Jean Calvin'di ve operasyonlarını Cenevre'de yürütüyordu. Ölüme mahkûm edilen yüzlerce kişinin idamı biraz ötemizde gerçekleştiriliyordu. Sadece dinlerinden dönmeme cüretini gösteren Katolikler değil, hakikate ulaşmayı ve hastalıklara deva bulmayı amaçladıklarından İncil'i kelimesi kelimesine yorumlayanlara meydan okuyan âlimler de. Âlimlerin en ünlüsüyse akciğer dolaşımını keşfeden ve bu yüzden yakılarak idam edilen Miguel Serveto'ydu.

> Sapkınları ve kâfirleri cezalandırmak yanlış değildir. Bu sayede onların suçlarına ortak olmaktan kurtuluruz (...). Burada geçerli olan insanların hükmü değil, Tanrı'nın söyledikleridir (...). İşte bu yüzden, şayet O, bizden onurunu korumamızı ve emirlerini insanlığın üzerinde tutmamızı talep ediyorsa, yani mesele O'nun şerefi uğruna savaşmaksa, akrabalarımızın da kandaşlarımızın da canını bağışlamamalıyız.

Yıkım ve ölüm Cenevre'yle de sınırlı kalmadı: Calvin'in büyük ihtimalle bu anıttaki küçük heykeller tarafından temsil edilen havarileri önderlerinin öğretisini ve hoşgörüsüzlüğünü bütün Avrupa'ya yaydılar. 1566'da Hollanda'da çok sayıda kilise yıkıldı ve "asiler" –yani farklı inançlara sahip insanlar– öldürüldü. "Putperestlik" bahanesiyle sayısız sanat eseri alevleri boyladı. Dünyanın tarihî ve kültürel mirasının bir kısmı yok edildi ya da ebediyen kayıplara karıştı.

Günümüzdeyse çocuklarıma, okulda Calvin'in yepyeni fikirlerle bizi Katolik boyunduruğundan "kurtaran" büyük bir aydınlanmacı olduğu öğretiliyor. Sonradan gelen nesiller tarafından saygı duyulmayı hak eden bir devrimciymiş.

Karanlıktan sonra aydınlık gelir.

Acaba bu adamın aklından neler geçiyordu, diye merak ediyorum. Aileler kılıçtan geçirilirken, çocuklar anne babalarından ayrılırken ve kaldırımlar kanla kaplanırken uykuları kaçmış mıdır acaba? Yoksa misyonunun doğruluğuna, yaptıklarından şüphe duymayacak denli inanmış olabilir mi?

Her şeyi sevgi adına yaparsa aklanabileceğini düşünmüş olabilir mi? Mesela ben böyle şüphelere kapılıyorum, yaşadığım dertlerin özünde bu var.

Dr. Jekyll ve Mr. Hyde. Calvin'i tanıyan insanlar onun özel hayatında iyi bir insan olduğunu, İsa'nın yolundan çıkmadığını ve insanı şaşırtacak denli tevazulu davranışlar sergilediğini söylemiştir. İnsanların korktuğu ama bir yandan da sevdiği bir adammış – ve kitleleri bu sevgi sayesinde coştururmuş.

Tarihi kazananlar yazdığından artık Calvin'in gaddarlıklarını kimse hatırlamaz. Günümüzde bizleri Katoliklerin melekler, azizler, bakireler, altınlar, gümüşler, endüljanslar ve ahlaksızlıklar üzerine kurulu sapkınlıklarından kurtaran büyük bir ıslahatçı, ruhları şifaya kavuşturan bir tabip gibi görülür.

* * *

Beklediğim adam sonunda gelerek düşüncelerimi yarıda kesiyor. Kübalı bir şaman. Editörümü stresle mücadelenin alternatif yolları konusunda bir yazı hazırlamamız için ikna ettiğimi anlatmaya başlıyorum. İş dünyası bir tarafa aşırı derecede cömert görünürken diğer tarafta öfkesini kendinden zayıflardan çıkaran insanlarla dolu. Artık kimsenin sağı solu belli olmuyor.

Psikiyatr ve psikanalistlerin randevu defterleri dolup taşıyor, hastalarına yetişemez haldeler. Oysa kimse depresyon tedavisi için aylarca, yıllarca beklemek istemiyor.

Kübalı şaman hiçbir şey söylemeden anlattıklarımı dinliyor. Konuşmaya bir kafede devam etmemizi teklif edip havanın birden soğuduğunu söylüyorum.

"Buluttan dolayı," diyor ve teklifimi kabul ediyor.

Şubat veya marta kadar şehrin tepesinde asılı duran ve ancak göğü temizleyip ısıyı daha da düşüren mistral esmeye başlayınca uzaklaşan bulutu kastediyor.

"Bana nasıl ulaştın?"

Gazetedeki güvenlik görevlilerinden biri bahsetmişti. Yazıişleri şefim psikologlarla, psikiyatrlarla, psikoterapistlerle röportaj yapmamı istiyordu; ama bu zaten yüzlerce kez yapıldı.

Orijinal bir şeye ihtiyacım var ve aradığım kişi kendisi olabilir.

"Gazetede ismimin geçmesini istemem. Bu yaptığım sosyal sigorta kapsamında değil."

Herhalde şöyle demek istiyor: "Bu yaptığım yasadışı bir iş."

* * *

Kendini rahat hissetsin diye neredeyse yirmi dakika boyunca konuştuysam da Kübalı, güvensiz bakışlarını üzerimden ayırmıyor. Esmer tenli, kır saçlı, kısa boylu bir adam ve üstünde takım elbise, kravat var. Bir şamanın böyle giyineceğini hiç düşünmezdim.

Bana söyleyeceği her şeyin sır olarak kalacağını söylüyorum. Gazete olarak tek bilmek istediğimiz hizmetlerinden çok sayıda kişinin yararlanıp yararlanmadığı. Şifa yeteneğine sahip olduğu söyleniyor.

"Bu doğru değil. Şifa yeteneğim yok. Şifa vermek Tanrı'ya mahsustur."

Tamam, bu konuda anlaştık. Hayatta hep davranışları aniden tersine dönen insanlarla karşılaşırız. Ve şöyle düşünürüz: İyi tanıdığımı zannettiğim bu insana ne oldu böyle? Neden böyle saldırgan davranıyor? İş stresinden mi?

Ertesi gün aynı kişi yine normale döner. Biz de tam rahatlayacakken en beklenmedik anda halı ayaklarımızın altından çekilmişe döneriz. Ama bu kez o kişinin derdinin ne olduğunu sormaktansa kendimizin ne hata yaptığını sorgularız.

Kübalı şaman hiçbir şey demiyor. Bana hâlâ güvenmediği belli.

Bu derde şifa bulmak mümkün müdür?

"Şifası vardır ama Tanrı'ya mahsustur."

Evet, bunu ben de biliyorum ama Tanrı nasıl şifa verir?

"Değişik yöntemlerle. Gözlerimin içine bak."

Söylediğini yapıyorum ve nereye gittiğimi kontrol edemediğim bir nevi transa girdiğimi hissediyorum.

"Görevime yön veren güçler adına, bana bahşedilen güç aracılığıyla, beni koruyan ruhlara sesleniyorum, bu kişi beni polise veya göçmen bürosuna ihbar ederse hem kendisinin hem de ailesinin hayatı yerle bir olsun."

Eliyle başımın etrafında birkaç daire çiziyor. Bütün bunları son derece saçma bulduğumdan kalkıp gidesim geliyor. Ama adam hemen normal –ne cana yakın ne de mesafeli– haline dönüyor.

"Sorulara devam edebiliriz. Artık sana güveniyorum."

Biraz ürkmüş haldeyim. Ama gerçekten de bu adama zarar vermeye niyetim yok. Bir fincan çay daha söyleyip tam olarak ne istediğimi açıklıyorum: "Röportaj yaptığım" doktorlar bu derdi iyileştirmenin çok uzun sürdüğünü söylüyorlar. Gazetedeki güvenlik görevlisiyse –sözcüklerimi iyice tartarak konuşuyorum– Tanrı'nın ağır bir depresyon vakasını Kübalı şamanı aracılığıyla iyileştirdiğini söyledi.

"Kafamızdaki karmaşayı kendimiz yaratırız. Dışarıdan gelmez. Gerekirse bir koruyucu ruhtan destek istemek yeterlidir, ruhuna girip yüreğini toparlamana yardım eder. Fakat artık kimse koruyucu ruhlara inanmıyor. Ruhlar sürekli bizi izliyorlar, yardım etmek için çıldırıyorlar ama onları çağıran yok. Benim görevim onları muhtaç insanlara yaklaştırmak ve işlerini yapmalarını beklemek. Bu kadar."

Diyelim ki, uyduruyorum, birisi saldırgan bir ânında

bir başkasını mahvetmek için sinsi bir plan yapmış olsun. İşyerindeki itibarını yerle bir etmek için, mesela.

"Böyle şeyler her gün görülür."

Biliyorum ama bu kişi, saldırganlığı geçtiğinde, yani normale döndüğünde, suçluluk duygusuyla kıvranmaz mı?

"Elbette. Ayrıca yaşlandıkça durumu daha da fenalaşır."

Demek ki Calvin'in, "Karanlıktan sonra aydınlık gelir" sözü hatalı.

"Ne?"

Yok bir şey. Düşüncelerim bir an parktaki anıta kaydı da.

"Evet, kastettiğin buysa, tünelin sonunda ışık var. Ama bazen, insan karanlığı aşıp öteki tarafa ulaştığında arkasına döner ve geçtiği yerlerde müthiş bir tahribat yarattığını görür."

Harika, asıl konuya döndük: Yönteminden bahsedelim.

"Bana ait bir yöntem değil bu. Eski zamanlardan beri stres, depresyon, asabilik, intihar teşebbüsleri ve daha birçok çeşit kendine zarar verme yöntemine karşı kullanılmıştır."

Tanrı'm, doğru kişiyle karşılaştım. Soğukkanlılığı elden bırakmamalıyım.

Diğer isimleri...

"... kendi kendine girilen trans. Oto-hipnoz. Meditasyon. Her kültürde ayrı bir ismi vardır. Ama unutma ki İsviçre'nin Tabipler Birliği böyle şeylere pek hoş gözle bakmaz."

Yoga yapmama rağmen dertlerimi düzene koyduğum ve çözdüğüm bir ruh haline erişemediğimi söylüyorum ona.

"Burada esas meselemiz sen misin, yoksa gazete röportajı mı?"

İkisi de. Bu adamın karşısında sır tutamayacağımı anladığım için savunma mekanizmamı kapatıyorum. Bana gözlerine bakmamı söylediği andan beri böyle olacağını biliyordum. İsmini saklama çabasının son derece gülünç olduğunu söylüyorum – yardım isteyenleri Veyrier' deki evine kabul ettiğini herkes biliyor. Üstelik aralarında cezaevlerinin güvenliğinden sorumlu polisler dahi var. Bunları gazetedeki güvenlikçiden duydum.

"Senin derdin geceyle," diyor.

Evet, aynen öyle. Neden peki?

"Gece, sadece gece olduğu için, etrafı karanlığa gömerek içimizdeki çocukluk korkularını uyandırır, yalnızlıktan ve tanımadıklarımızdan ne kadar korktuğumuzu hatırlatır bize. Bu hayaletleri alt etmeyi başarırsak gündüz karşımıza çıkanları da kolaylıkla alt edebiliriz. Karanlıklardan korkmuyarsak, aydınlığın dostu olduğumuzdandır."

En basit konuları dahi sabırla açıklayan bir ilkokul öğretmeninin karşısındayım sanki. Acaba evinize gidip...

"Şeytan çıkarma ayini mi yapalım?"

Ben bu ismi kullanmayı düşünmüyordum ama tam da buna ihtiyacım var.

"Hiç gerek yok. Sende büyük karanlıklar görüyorum ama büyük aydınlıklar da görüyorum. Ama bu kez aydınlığın galip geleceğine eminim."

Ağlamak üzereyim çünkü bu adam sahiden de ruhuma girmeyi başarıyor, nasıl yaptığını hiç bilemiyorum.

"Arada bir kendini geceye bırak, yıldızlara bakıp sonsuzluğun verdiği hisle mest olmaya çalış. Gece de, kendine has büyüleriyle, aydınlığa uzanan yollardan biridir. Tıpkı karanlık kuyunun dibinde susuzluğu dindiren suyu barındırdığı gibi, gizemiyle bizi Tanrı'ya yakınlaştıran gece de gölgeleri arasında ruhumuzu tutuşturan alevi gizler."

Neredeyse iki saat boyunca konuşuyoruz. Israrla kendimi hayatın akışına bırakırsam her şeyin geçeceğini –ve en büyük çekincelerimin bile temelsiz olduğunu– söylüyor. İntikam arzumdan bahsediyorum. Anlattıklarımı hiçbir yorumda bulunmadan, hiçbir yargıya varmadan dinliyor. Konuştukça kendimi daha iyi hissediyorum.

Oradan çıkıp parkta yürüyüş yapmamızı teklif ediyor. Parkın kapılarından birinin önünde yerin bir bölümü siyah beyaz karelere boyalı ve üstünde plastikten devasa satranç taşları var. Soğuğa rağmen birkaç kişi satranç oynuyor.

Kübalı şaman artık hemen hiç konuşmuyor – durmaksızın konuşan, hayata, bir teşekkürler edip bir veriştiren benim. Dev satranç tahtalarından birinin önünde duruyoruz. Adamın anlattıklarımdan çok, oyunla ilgilenir gibi bir hali var. Ben de yakınmayı bırakıp en ufak bir ilgi bile duymamama rağmen oyunu izlemeye koyuluyorum.

"Sonuna kadar vazgeçme," diyor adam.

Sonuna kadar vazgeçmeyeyim mi? Kocamı aldatayım, rakibimin çantasına kokain koyayım ve polisi mi arayayım yani?

Gülüyor.

"Satranç oynayanları görüyor musun? Hep bir sonraki hamleyi yapmak zorundalar. Duramazlar; çünkü durmak yenilgiyi kabullenmek demektir. Yenilgi eninde sonunda kaçınılmazdır ama en azından sonuna dek mücadele etmiş olurlar. Biz istediğimiz her şeye sahibiz. Bundan iyisi mümkün değil. Kendimizi iyi veya kötü, haklı veya haksız görmek saçmalıktan ibarettir. Bugün Cenevre'nin tepesinde bir bulutun asılı olduğunu ve belki de aylar boyunca orada kalacağını biliyoruz; ama eninde sonunda gidecek. İşte bu yüzden, yoluna devam et ve kendini hayatın akışına bırak."

Yapmamam gereken şeyleri yapmamı engellemek için hiçbir şey söylemeyecek mi?

"Hiçbir şey söylemeyeceğim. Yapmaman gereken bir şey yaptığında kendin zaten farkına varacaksın. Biraz önce dediğim gibi, ruhunun içindeki aydınlık, karanlıktan fazla. Ama bunun işe yaraması için senin sonuna kadar gitmen gerekiyor."

Sanırım hayatımda hiç bu kadar saçma sapan bir öğüt duymamıştım. Bana vaktini ayırdığı için teşekkür edip kendisine borcum olup olmadığını sorduğumda yok, diyor.

* * *

Gazeteye döndüğümde şefim neden bu kadar geciktiğimi soruyor. Röportaj alışılmışın dışında bir konuda olduğundan istediğim yorumları alana dek akla karayı seçtiğimi söylüyorum.

"Alışılmışın bu kadar dışındaysa insanları ahlaksızlığa teşvik ediyor olabilir miyiz?"

Gençleri reklam bombardımanına tutup aşırı tüketime özendirirken onları ahlaksızlığa teşvik ediyor olabilir miyiz? Yeni arabaların saatte 250 km hıza ulaşabildiğini duyururken trafik kazalarını teşvik ediyor olabilir miyiz? Başarılı insanlar hakkında, konumlarına nasıl ulaştıklarını doğru düzgün açıklamadan haberler bastığımızda insanları işe yaramaz hissetmelerini sağlayarak depresyona ve intihara teşvik ediyor olabilir miyiz?

Şefim tartışmak istemiyor. Yazım sahiden de gazetenin ilgisini çekebilir, ne de olsa o günkü manşet "Saadet Zinciri, Asya ülkesine yardım için 8 milyon frank topladı" şeklindeydi.

Altı yüz kelimelik bir yazı hazırlıyorum –bana ayrılan yer bu kadar– tamamen internette yaptığım araştırmalardan meydana geliyor; çünkü şamanla yaptığım, adeta bir muayeneye dönüşen konuşmadan hiç malzeme çıkaramadım.

Jacob!

Biraz önce dirildi, bana bir mesaj gönderip –hayatta yapacak başka ilginç bir şey kalmamış gibi– kahve içmeye davet etti. Şarap tadımcısı o kültürlü adam nerelerde kaldı? Dünyanın en müthiş afrodizyağına, yani iktidara sahip o adam nerelerde?

Hepsinden önemlisi, ikimize de hiçbir şeyin imkânsız görünmediği bir çağda tanıdığım ergenlik aşkım nerede?

Evlendi, değişti ve beni kahve içmeye davet eden bir mesaj gönderiyor. Biraz yaratıcılığını kullanıp Chamonix'deki çıplaklar koşusuna katılmamızı öneremez miydi? Daha fazla ilgimi çekebilirdi.

Mesajını cevaplamaya hiç niyetim yok. Haftalardır bana burun kıvırdı, sessiz kalarak beni aşağıladı. Sırf beni bir şey yapmaya davet edip şereflendirdi diye koşa koşa gideceğimi mi sanıyor?

Gece yattıktan sonra (kulaklıklarımı takıp) Kübalı şamanla konuşmamın kayıtlarından birini dinliyorum. Hâlâ orada –kendi gölgesinden korkan bir kadın değil– sadece gazeteci kimliğimle bulunduğum numarası yaptığım kısımdayım, kendi kendine transa geçmenin (ya da onun kullandığı şekliyle meditasyonun) bir başkasını unutmamızı sağlaması mümkün mü, diye sormuştum.

"Bu konuya girince çıkmak zordur," diye karşılık verdi. "Evet, hafızasını nispeten kaybetmesini sağlayabiliriz ama kişi başka olaylar ve olgularla da bağlantılı olduğundan tamamen hafızasını kaybetmesi imkânsızdır. Ayrıca unutmak yanlış bir tutumdur. Doğrusu yüzleşmektir."

Kaydı sonuna kadar dinliyorum, aklımı başka yere çekmeye çalışıyorum, sözler veriyorum, ajandama başka şeyler not ediyorum ama hiçbir şey fayda etmiyor. Uyumadan önce Jacob'a bir mesaj gönderip davetini kabul ediyorum.

Kendime hâkim olamıyorum, esas derdim bu işte.

"Seni özlediğimi söylemeyeceğim çünkü bana inanmayacağını biliyorum. Yeniden âşık olacağım korkusuyla mesajlarına karşılık vermediğimden hiç bahsetmeyeceğim bile."

Bu sözlere hiç inanacak değilim. Ama araya girmiyorum, anlatılmazı anlatmaya çalışsın dursun. Sınırdaki Fransız kasabalarından, işyerime on beş dakika mesafedeki Collonges-sous-Salève'de, hiçbir özelliği olmayan bir kafedeyiz. İçerisi tenha sayılır, yakınlardaki bir taşocağından gelen birkaç kamyon şoförü ve işçiden başka müşteri yok.

Mekândaki tek kadın benim, barın arkasındaki bir türlü yerinde duramayan ve müşterilerle şakalaşan aşırı makyajlı kadını saymazsak tabii.

"Karşıma çıktığından beri hayatım cehenneme döndü. Röportaj için ofisime geldiğin ve yakınlaştığımız o günden beri..."

"Yakınlaşmak" biraz abartılı bir ifade. Ben ona oral seks yaptım. O ise bana hiçbir şey yapmadı.

"Mutsuzum diyemem ama gittikçe yalnızlaşıyorum ve bunu kimse bilmiyor. Arkadaşlarımın arasındayken bile böyleyim; ortam ve içkiler harika, sohbetler hararetli, benimse yüzümde boş bir gülümseme, ortada hiçbir sebep bulunmamasına rağmen dikkatimi konuşulanlara veremiyorum. Önemli bir buluşmam olduğunu söyleyip ayrılıyorum. Eksiğimin ne olduğunu biliyorum: Sensin."

İntikam saatim geldi: Çift terapisine ihtiyacın olmasın sakın?

"Olabilir. Ama Marianne'ı bir türlü ikna edemiyorum. Ona göre felsefe her şeyi açıklar. Her zamankinden farklı olduğumu fark etse de bunu seçimlere bağladı."

Kübalı şaman bazı konularda sonuna kadar vazgeçmememizi söylerken haklıydı. Biraz önce Jacob karısını ağır bir uyuşturucu ticareti suçlamasından kurtardı.

"Sorumluluklarım fazlasıyla arttı ve buna hâlâ alışamadım. Marianne çok geçmeden alışacağımı söylüyor. Sence?"

Bence ne? Tam olarak neyi öğrenmek istiyor?

Onun, köşedeki bir masada, önünde Campari-sodasıyla yalnız başına oturur halini, hele girdiğimi fark ettiğindeki gülümseyişini gördüğüm anda direnme çabalarım yerle bir oluyor. Yeniden ergenlik çağımıza dönüyoruz ama bu kez hiçbir yasayı çiğnemeden alkol tüketebiliyoruz. Buz gibi ellerini –üşüdüğünden mi korkusundan mı, emin değilim– ellerime alıyorum.

İçini ferah tut, diyorum. Gelecek sefere daha erken bir saatte buluşmamızı öneriyorum – yaz saati bitti ve hava çabuk kararıyor. Bana hak veriyor ve kafedeki adamların dikkatini çekmemeye özen göstererek dudaklarıma çekingen bir öpücük konduruyor.

"Bu sonbahar en çok canımı sıkan şeylerden biri güneşli günler oldu. Ofisimin perdesini açtığımda dışarıda gezinen insanları görüyorum, kimileri geleceği kafaya takmadan el ele dolaşıyor. Benimse sevgimi göstermeme izin yok."

Sevgi mi? Acaba Kübalı şaman bana acıyıp gizemli ruhlardan yardım mı istedi?

Bu buluşmayla ilgili bin türlü beklentim olsa da yüreğini böylesine açabilecek bir adamla karşılaşmayı beklemezdim. Kalp atışlarım giderek hızlanıyor – hem mutluluktan hem de şaşkınlıktan olsa gerek. Hangisi olduğunu ne ona soracağım ne de kendime.

"Yanlış anlama, başkalarının mutluluğunu kıskanıyor değilim. Başkaları mutlu olabilirken benim neden olamadığımı anlamıyorum, o kadar."

Hesabı euroyla ödüyor ve sınırı yaya olarak geçip yolun karşı tarafına, yani İsviçre tarafına park ettiğimiz arabalarımıza doğru yürüyoruz.

Yakınlaşmamıza fırsat kalmadı. Yanaklarımızdan üç kez öpüşüp kendi yolumuza gidiyoruz.

Tıpkı golf kulübündeki gibi araba kullanamayacak halde olduğumu fark ediyorum. Soğuktan korunmak için arabadan beremi alıp kasabanın sokaklarında başıboş yürümeye başlıyorum. Bir postanenin ve kuaförün yanından geçiyorum. Açık bir bar görüyorum ama kafamı dağıtmak için yürümeyi tercih ediyorum. Olanları anlamak hiç ilgimi çekmiyor. Tek istediğim olup bitmesi.

"Ofisimin perdesini açtığımda dışarıda gezinen insanları görüyorum, kimileri geleceği kafaya takmadan el ele dolaşıyor. Benimse sevgimi göstermeme izin yok," dedi Jacob.

Ben tam da kimsenin; ama kimsenin –ne şamanların ne psikanalistlerin ne de kocamın– içimde kopan fırtınaları anlayamayacağını düşünürken sen karşıma çıkıp her şeyi açıkladın...

Yalnızlık bu; sevdiklerim yanımda olsa da yalnızım, bana değer verip mutlu olmamı isteyen bu insanlar belki de bana sırf aynı hissi –yalnızlığı– paylaştığımız için yardım etmeye çalışıyorlardır çünkü dayanışma dürtüsünün özüne, "ben tek başıma da olsam işe yarıyorum" mesajı, ateş ve demirle damgalanmıştır.

Beyin her şeyin yolunda olduğunu söylese de ruh yolunu kaybeder, hayatı, hangi hakla adaletsizce yaftaladığını bilemez, şaşkına döner. Yine de sabahları uyanıp ilgimizi çocuklarımıza, kocamıza, sevgilimize, şefimize, çalışanlarımıza, öğrencilerimize, kısacası normal bir günümüze hayat veren onlarca kişiye yöneltiriz.

Yüzümüzden gülümsememiz, dilimizdense yüreklendirici öğütlerimiz eksik olmaz; çünkü hiç kimse yalnızlığını başkalarına açamaz, özellikle de yanında sürekli birileri varsa. Oysa bu yalnızlık gerçektir ve en iyi yönlerimizi çürütür çünkü kendimizden başka kimseyi kandıramasak da bütün enerjimizi mutlu görünmeye harcarız. Yine de, her sabah açan gülümüzün sadece çiçeğini dışarıya gösterir, bizi yaralayıp kanatan dikenlerle kaplı sapınıysa içimizde saklarız.

Herkesin hayatın bir döneminde kendini müthiş yalnız hissettiğini bilmemize rağmen, "Ben yalnızım, arkadaşa ihtiyacım var, herkesin masallardaki ejderhalar gibi hayalden ibaret sandığı ama öyle olmayan bu canavarı öldürmem gerekiyor," demek bizi küçük düşürür. Ben görkemli bir biçimde ortaya çıkıp bu canavarı alt edecek ve onu ilelebet uçurumun dibine yollayacak şövalyeyi bekliyorum; ama bir türlü gelmiyor.

Yine de ümidimizi kaybetmeyiz. Alışık olmadığımız şeyler yapmaya, gereksiz ve olmadık riskler almaya başlarız. İçimizdeki dikenler gittikçe büyüyüp daha çok acı verse de vazgeçmeyiz. Hayatımız adeta herkesin sonucunu görmek için izlediği bir satranç karşılaşmasına benziyor. Kazanmak veya kaybetmek önemli değilmiş gibi davranarak, önemli olan mücadele etmek diyerek gerçek hislerimizi saklayabileceğimizi umarız, halbuki...

... Arkadaş arayacağımız yerde,kimselerle konuşmadan yaralarımızı yatıştırabilmek için daha da içimize kapanırız. Ya da bizle hiçbir alakası olmayan, sürekli önem vermediğimiz konulardan bahseden insanlarla öğle veya akşam yemeklerine çıkarız. Bir süreliğine kafamızı dağıtırız, yiyip içip eğleniriz, oysa ejderha hâlâ hayattadır. En sonunda, en yakınımızdaki insanlar bir şeylerin yolunda gitmediğini fark eder ve bizi mutlu edemedikleri için kendilerini suçlarlar. Derdimizin ne olduğunu sorarlar. Her şeyin yolunda olduğunu söyleriz ama öyle değildir...

Her şey berbattır. Lütfen, beni rahat bırakın, gözyaşım kalmadı, kalbim dayanmıyor, gözüme uyku girmiyor, içim bomboş, hissizim, sizler de aynı şeyleri hissediyorsunuz; kendinize sorabilirsiniz. Ama onlar ısrarla, sadece kötü bir dönemden geçtiğimizi veya depresyon geçirdiğimizi söylerler çünkü her şeyi açıklayan o lanetli sözcüğü kullanmaya korkarlar: yalnızlık.

Bizse bu esnada bizi mutlu eden yegâne şeyi, yani şaşaalı zırhıyla ortaya çıkıp ejderhayı öldürecek, gülü sahiplenip dikenlerini sökecek şövalyeyi bıkıp usanmadan aramaya devam ederiz.

Kimileri hayata haksızlık ettiğimizi söyler. Kimileriyse biz her şeye sahipken kendileri değil diye yalnızlığı, mutsuzluğu hak ettiğimizi söyleyerek sevinir.

Derken bir gün körler görmeye başlar. Mutsuzlar teselli bulur, ıstırap çekenler çare. Şövalye gelip bizi kurtarır ve hayat kendini aklar...

Yine de yalan söylemeye, insanları kandırmaya devam edersin çünkü artık koşullar farklıdır. Her şeyi bırakıp hayallerinin peşinden koşmak istemeyen kimse var mıdır şu dünyada? Hayaller hep risk içerir, bedelleri vardır, bu bedeller kimi ülkelerde taşlanmaya mahkûm edilerek ödenir, kimilerindeyse toplumdan dışlanarak veya dikkate alınmayarak. Ama illa bir bedel ödenir. Sen ne kadar yalana devam etsen ve insanlar inanmış numarası yapsalar da aslında gizliden gizliye seni kıskanırlar, arkandan konuşurlar, senin en fenasından bir tehdit unsuru olduğunu söylerler. Sen zina yapan bir erkek değil, bir *kadınsındır*; erkek yapınca hoş görülür, hatta övülürken kadın başkasıyla yatarsa, kocasını, kendisini daima sevip üzerine titreyen zavallıyı aldattığı söylenir...

Oysa kocanın yalnızlığa kapılmanı engellemekten âciz olduğunu bir tek sen bilirsin. İlişkinizde bir şey eksiktir ama neyin eksik olduğunu sen dahi bilmezsin; çünkü kocanı sever, kaybetmek istemezsin. Oysa uzak diyarlarda serüvenler vaat eden görkemli bir şövalyenin hayali, her şeyin olduğu gibi kalması arzundan çok daha güçlüdür; davetlerde insanlar sana bakıp herkese kötü örnek oluyorsun diye, boynuna bir değirmentaşı bağlayıp seni denize atma planları yapsalar da her şeyin olduğu gibi kalmasını istersin.

Bütün bunlar yetmezmiş gibi kocan susup dişini sıkar. Hiç yakınmaz, hır çıkarıp olayı büyütmez. Bunun geçici bir dönem olduğunu bilir. Geçeceğini sen de bilirsin ama şimdilik senden daha güçlüdür.

Böylece her şey bir ay, iki ay, bir yıl daha uzar... İkiniz de susup dişinizi sıkarsınız.

Kimsenin izin almak gibi bir derdi yoktur. Geriye baktığında bir zamanlar kendinin de şimdi seni suçlayan insanlar gibi düşündüğünü görürsün. Vaktinde sen de eşini aldattığını bildiğin kişilere lanet okumuş, başka ülkede yaşasaydı taşlanırlardı diye düşünmüştün. Ta ki bir gün kendi başına gelene dek. O zaman tutumunu aklamak için milyon tane bahane bulursun, kısacık bir süre için de olsa mutlu olmayı hak ettiğini söylersin, ejderhaları öldüren şövalyelere sadece masallarda rastlandığını... Gerçek ejderhalar ölümsüz olsalar da, hayatında en azından bir kereliğine yetişkinler için bir peri masalında yaşamaya hakkın, hatta mecburiyetin olduğunu söylersin.

Derken ne pahasına olursa olsun sakındığın o an gelip çatar: Yola birlikte devam etmek veya birbirinizden ebediyen ayrılmak arasındaki karar ânı.

Ancak bu an, sonunda ne karar çıkarsa çıksın, hata yapma korkusunu da beraberinde getirir. Sense seçimi karşı tarafın yapmasını, evden veya yataktan atılmayı istersin çünkü bu şekilde devam etmek imkânsızdır. Netice de biz tek bir kişi değil, birbirinden tamamen farklı iki, hatta daha fazla kişiyizdir. Daha önce hiç böyle bir durumda kalmadığından neler olacağını kestiremezsin. Gerçek olan tek şey, her koşulda, bir veya iki kişinin ya da herkesin birden ıstırap çekeceğidir...

... Ama asıl mahvedeceği sensin, seçimin ne olursa olsun.

Trafik tamamen felç. Tam da gününü buldu!

İki yüz binden az nüfusuyla Cenevre şehri kendini dünyanın merkezinde zanneder. Buna inanan insanlar da yok değildir ve "zirve toplantıları" dedikleri buluşmaları gerçekleştirmek için ülkelerinden buraya kadar uçarlar. Bu buluşmalar genelde çevre kasabalarda yapıldığından trafiği pek etkilemez. En fazla, şehrin üstünde uçan birkaç helikopter görürüz.

Neden bilmiyorum ama bugün anacaddelerimizden birini trafiğe kapamışlar. Bugünkü gazeteleri okudum ama yerel haberleri okumadan atladım. Dünyanın en güçlü ülkelerinin, nükleer silahların yayılması tehdidini tartışmak üzere temsilcilerini "tarafsız topraklara" gönderdiklerinden haberdarım. Peki bunun benim hayatımla ne alakası var?

Hem de çok alakası var. Geç kalma tehlikesiyle karşı karşıyayım. Bu aptal arabaya binmemeli, toplu taşımayı tercih etmeliydim.

* * *

Her sene Avrupa'da özel dedektifler için yaklaşık 74 milyon İsviçre frangı (80 milyon dolar civarı) harcanır; bu kişilerin uzmanlık alanı başkalarının peşine takılıp fotoğraf çekerek eşleri tarafından aldatılan insanlara kanıtlar sunmaktır. Kıtanın geri kalanı krizle boğuşur, şirketler iflas eder ve çalışanlar işten çıkarılırken sadakatsizlik piyasası sürekli büyümektedir.

Üstelik bundan kârlı çıkan sadece dedektifler değildir. Bilgisayar uzmanları telefonlar için *SOS Alibi* gibi uygulamalar geliştirmişlerdir. Bu uygulamaların işlevi çok basittir: Belli bir saatte, sevdiğinize, doğruca işyerinizden bir aşk mesajı gönderir. Böylece siz yatak örtüleri arasında şampanyanızı yudumlarken eşinizin ceptelefonuna beklenmedik bir toplantıya girmeniz gerektiği için işten geç çıkacağınızı söyleyen bir mesaj gönderir. *Excuse Machine* adlı uygulamaysa Fransızca, Almanca ve İtalyanca mazeretler üretir, siz de o gün hangisi uygunsa seçersiniz.

Yine de, dedektiflerin ve bilgisayar uzmanlarının yanında, asıl kazanan otellerdir. (Resmî verilere göre) İsviçrelilerin yedide biri evlilik dışı ilişki yaşadığına göre, ülkedeki evli insanların sayısını düşünürsek, 450 bin birey kimselere görünmeden buluşabilecekleri bir oda aramaktadır. Lüks otellerden birinin müdürü bir seferinde müşteri çekmek için, "Kurduğumuz sistem sayesinde odayı kredi kartıyla ödediğinizde restoranımızdan öğle yemeği harcaması olarak görünecektir," demişti. Otel kısa sürede bir akşamda 600 İsviçre frangını gözden çıkarabilenlerin gözdesi haline geldi. Ben de şu anda oraya gidiyorum.

Yarım saat süren stresin ardından arabamı valeye bırakıp koşarak odaya çıkıyorum. Elektronik mesaj servisi sayesinde ne taraftan gitmem gerektiğini resepsiyona sormam gerekmeden öğreniyorum.

Fransa'daki kafeden şu anda bulunduğum yere gelmek için, bunu, ikimizin de kesinlikle istediğinden emin olmamızın dışında hiçbir şey gerekmedi – ne açıklamalar ne aşk yeminleri ne de başka bir buluşma. İkimiz de düşüncelere dalıp vazgeçmekten korkuyorduk ama fazla tartışmadan, kısa sürede kararımızı verdik.

Güz bitti. Yine bahar geldi, on altı yaşıma döndüm, o ise on beş yaşında. Ruhum gizemli bir biçimde yeniden bekâretine kavuştu (bedeniminkiyse ilelebet yitik). Öpüşüyoruz. Tanrı'm, bunun nasıl bir his olduğunu unutmuştum, diye düşünüyorum. Sadece isteklerimin peşinde bir yaşam sürüyordum –neyi istediğimin, nasıl yapmam, ne zaman durmam gerektiğinin arayışı içindeydim– ve kocamın da aynı tutumu sergilemesini kabul ediyordum. Ama tamamen yanılıyordum. Birbirimize benliklerimizi tam anlamıyla teslim etmiyorduk artık.

Belki artık durur. Eskiden öpüşmekten ötesini hiç denememiştik. Okulun kuytu köşelerindeki uzun ve tadına doyulmaz öpüşmelerimiz... Ama benim asıl istediğim herkesin beni böyle görüp kıskanmasıydı.

Durmuyor. Dilinin sigara ve votka karışımı, ekşi bir tadı var. Utanıyorum ve gerginim, şartları eşitlemek için benim de bir sigara tüttürüp votka içmem lazım! diye düşünüyorum. Onu nazikçe itip mini barın başına gidiyorum ve küçücük bir şişe votkayı tek dikişte bitiriyorum. Alkol genzimi yakıyor. Bir sigara istiyorum.

Sigarayı veriyor; ama vermeden önce odada sigara içmenin yasak olduğunu hatırlatıyor. Her şeye karşı gelmek ne büyük bir keyif, özellikle de böyle aptal kurallara! Sigaradan bir nefes çekiyorum ve midem bulanıyor. Votka yüzünden mi yoksa sigara yüzünden mi, bilmiyorum ama şüphede kalmamak için banyoya gidip sigarayı klozete atıyorum. Jacob arkamda belirip beni kavrıyor, ensemi ve kulaklarımı öpüyor, vücudunu benimkine bastırıyor ve sertleştiğini kalçalarımla hissediyorum.

Nerede kaldı ahlak kurallarım? Buradan çıkıp normal hayatıma döndüğümde kafam ne halde olacak?

Beni yeniden odaya çekiyor. Ağzını ve tütün, tükürük ve votka tatlarının karıştığı dilini öpmek için dönüyorum. Dudaklarını ısırıyorum ve hayatında ilk kez göğüslerime dokunuyor. Elbisemi çıkarıp bir köşeye fırlatıyor. Bir an için vücudumdan utanıyorum – bahar mevsimindeki o okullu kız değilim artık. İkimiz de ayaktayız. Perdeler açık ve Leman Gölü, bizimle gölün karşı kıyısındaki insanlar arasında doğal bir bariyer görevi görüyor.

Birisinin bizi izlediğini hayal ediyorum ve bu beni daha da heyecanlandırıyor, göğüslerimi öpüşünden bile daha fazla. Bir işadamının otelde düzüşmek için tuttuğu, her şeyi yapmaya hazır, alçak bir fahişeyim ben.

Ama bu his uzun sürmüyor. Yine on altı yaşıma dönüyorum, her gün onu düşünerek defalarca mastürbasyon yaptığım yaşa. Başını çekip göğsüme götürüyorum ve ucunu sertçe ısırmasını istiyorum, biraz acıdan biraz da zevkten hafif bir çığlık atıyorum.

Onun giysileri üzerinde, bense çırılçıplağım. Başını aşağı itiyorum ve oramı yalamasını söylüyorum. Aniden beni yatağa atıp soyunuyor ve üstüme çıkıyor. Ellerini kaldırıp başucu sehpasında bir şey arıyor. Bu yüzden dengemizi kaybedip yere düşüyoruz. Acemilik işte, acemiyiz ve bundan utanmıyoruz.

Aradığı şeyi buluyor: bir prezervatif. Ağzımı kullanarak onu kendisine takmamı söylüyor. Yarı gönüllü ve beceriksizce istediğini yapıyorum. Buna neden gerek duyduğunu anlayamıyorum. Hastalıklı olduğumu ya da önüme gelenle yattığımı düşündüğüne inanamıyorum. Ama arzusuna saygı duyuyorum. Lateksi kaplayan kayganlaştırıcı maddenin berbat tadını ağzımda hissediyorum; ama bunu öğrenmeye kararlıyım. Daha önce hiç prezervatif kullanmadığımı belli etmiyorum.

Takmayı bitirdiğimde sırtımı döndürüp yatağa yaslanmamı söylüyor. Tanrı'm, nihayet! Artık mutlu bir kadın olacağım, diye düşünüyorum.

Ancak orama gireceğine beni arkadan zorlamaya başlıyor. Bunu fark edince korkuyorum. Ne yaptığını sorsam da cevap vermiyor, başucundan başka bir şey alıp kıçıma sürüyor. Vazelin ya da ona benzer bir şey olduğunu tahmin ediyorum. Ardından kendimle oynamamı söylüyor ve çok yavaş bir biçimde içime giriyor.

Söylediklerini yapıyorum ve yeniden kendimi seksi tabu olarak gören ergenlik çağındaki bir kız gibi hissediyorum ve canım yanıyor. Ay, aman Tanrı'm, çok canım yanıyor. Kendimle oynamaya devam edemiyorum, tek yapabildiğim yatak örtülerini sımsıkı kavrayıp acıyla çığlık atmamak için dudaklarımı ısırmak.

"Acıdığını söyle. Daha önce hiç yapmadığını söyle. Bağır!" diye emrediyor.

Yine itaat ediyorum. Hem kısmen doğru sayılır – önceden dört-beş kez denesem de hiç hoşuma gitmemişti.

Hareketleri şiddetleniyor. Zevkle inliyor. Bense acıdan. Beni bir hayvanmışım, kısrakmışım gibi saçlarımdan kavrıyor ve dörtnala gidercesine hızını artırıyor. Tek harekette içimden çıkıp prezervatifi çıkarıyor ve beni kendine çevirerek yüzüme boşalıyor.

İnlemelerine hâkim olmaya çalışsa da gücü yetmiyor. Yavaşça üstüme uzanıyor. Bütün bu olanlar beni hem korkuttu hem de büyüledi. Banyoya gidip prezervatifi çöpe atıyor ve yanıma dönüyor.

Yanıma uzanıyor, bir sigara daha yakıyor, votka bardağını göbeğime koyup küllük olarak kullanıyor. Bir şey konuşmadan uzun süre tavanı izliyoruz. Cildimi okşuyor. Birkaç dakika önceki saldırgan adam gitmiş, yerine okulda bana galaksilerden ve astrolojiye duyduğu ilgiden bahseden romantik delikanlı gelmiş sanki.

"Üstümüzde koku bırakmamalıyız."

Bu cümle beni zalimce gerçek dünyaya döndürüyor. Belli ki onun ilk deneyimi değil. Prezervatif ve kolay uygulanır birtakım önlemler alması demek bu yüzden; her şeyin bu odaya girmeden önceki haliyle devam etmesini sağlamak. Ona duyduğum nefreti ve içimden sessizce ettiğim küfürleri bir tebessümün ardına saklayıp kokulardan kurtulmak için bazı tavsiyeleri olup olmadığını soruyorum.

Eve gidince kocama sarılmadan önce banyo yapmamın yeterli olduğunu söylüyor. Ayrıca külotumu atmamı söylüyor, vazelin iz bırakırmış.

"Gittiğinde evde olursa içeri koşarak gir ve çok sıkıştığını, hemen tuvalete gitmen gerektiğini söyle."

İğrenç bir durum bu. Bunca zaman dişi kaplana dönüşmeyi beklerken ola ola kısrak oldum. Ama hayat böyledir: Gerçek dünya asla ergenliğimizdeki romantik hayallere benzemez.

Tamamdır, aynen öyle yapacağım.

"Seninle yeniden buluşmayı çok isterim."

Al işte. Bu basit cümlecik koca bir hatadan, yanlış bir adımdan, cehennemden farksız bir durumu cennete dönüştürmek için yetti bile. Evet, yeniden buluşmayı ben de çok isterim. Bu kez biraz tedirgin ve çekingendim ama gelecek sefere daha iyi olur.

"Aslında harikaydı."

Evet, harikaydı; ama bunu ancak şimdi fark ediyorum. Bu maceranın er ya da geç son bulacağını ikimiz de biliyoruz ama şu anda bunun önemi yok.

Artık susacağım. Sadece onun yanında geçirdiğim bu ânın tadını çıkaracağım, sigarasını bitirmesini bekleyeceğim, sonra giyinip ondan önce aşağı ineceğim.

Girdiğim kapıdan çıkacağım.

Aynı arabaya binip her akşam döndüğüm yere gideceğim. İçeri koşarak girecek ve bağırsaklarımı bozduğumu, tuvalete gitmem gerektiğini söyleyeceğim. Banyoya girip Jacob'un bende kalan son kırıntılarını da ortadan kaldıracağım.

Kocamı ve çocuklarımı ancak bütün bunların ardından öpeceğim.

Otel odasında ikimiz aynı niyeti paylaşmıyorduk.

Ben yitik bir romantik maceranın peşindeydim; o ise avcı içgüdüsüyle hareket ediyordu.

Ben ergenliğimden hatırladığım oğlanı arıyordum; o ise seçimlerden önce kendisiyle röportaj yapan çekici ve cüretkâr kadını.

Ben hayatımın başka bir anlamı olabileceğine inanıyordum; o ise Eyaletler Konseyi'nin sıkıcı ve bitmek bilmez toplantılarından kaçıp öğleden sonrasını farklı bir şey yaparak geçirmek istiyordu.

Olanlar onun için tehlikeli olsa da alelade sayılabilecek bir eğlenceden ibaretti. Benim içinse bencillikle kendini beğenmişlik karışımı, affedilmez ve acımasız bir tecrübeydi.

Erkekler aldatır çünkü genlerinde vardır. Kadınsa haysiyetten yoksun olduğu için aldatır ve karşı tarafa sadece bedenini değil, kalbinden bir parçayı da verir. Düpedüz suçtur bu. Hırsızlıktır. Banka soymaktan beterdir; çünkü bir gün ortaya çıkarsa (ki daima çıkar) ailesine onarılması mümkün olmayan zararlar verir.

Erkekler için "aptalca işlenmiş bir hata"dan ibarettir. Kadınlar içinse kendilerini anne ve eş bilerek onlara sevgi gösteren kişileri ruhen katletmeye eşdeğerdir.

Ben nasıl şu anda kocamın yanında yatıyorsam Jacob'un da Marianne'ın yanında yattığını hayal ediyorum. Kafası başka dertlerle dolu: yarın siyasetçilerle yapacağı görüşmeler, yerine getirmesi gereken görevler, randevularla dolup taşan ajandası. Bense, aptalım ya, tavana bakıp otelde yaşadıklarımı saniyesi saniyesine hatırlıyor, kahramanı olduğum porno filmi döne döne gözümde canlandırıyorum.

Pencereye bakıp dışarıda birisinin yaptıklarımızı dürbünüyle izlemesini –hatta beni itaat eder, aşağılanır ve arkadan alır halde görünce kendisiyle oynamasını– arzuladığım o ânı hatırlıyorum. Bu düşünce beni nasıl da heyecanlandırmıştı! Çılgına dönmüş ve bu sayede hiç tanımadığım bir yanımı keşfetmiştim.

31 yaşındayım. Çocukluğu çoktan geride bıraktığımdan artık kendi hakkımda yeni şeyler keşfetmeyeceğimi sanıyordum. Ama yanılıyormuşum. Kendi kendime gizemli geliyorum, kimi kapılarımı açtım ve daha fazlasını arzuluyorum, var olduğunu bildiğim her şeyi denemek istiyorum – mazoşizm, grup seks, fetişler, her şeyi.

Bir türlü; yeter artık, istemiyorum, onu sevmiyorum, her şey yalnızlığımın yarattığı bir hayalden ibaretti, diyemiyorum.

Belki sahiden de sevdiğim o değildir. İçimde uyandırdığı histir. Bana saygı göstermedi, haysiyetimi çiğnedi, hiç çekinmedi ve ben her zamanki gibi karşımdakini memnun etmeye çalışırken o tam olarak kendi istediğini yaptı.

Zihnim gizli ve bilinmeyen bir yere seyahat ediyor. Bu kez hükmeden benim. Onu yine çıplak haliyle görebilirim ama bu kez emirleri ben veriyorum, ellerini ve ayaklarını bağlıyorum, sonra da suratına oturup daha fazlasını kaldıramayacak kadar çok orgazm oluncaya dek oramı öpmeye zorluyorum. Ardından arkasını çevirip parmaklarımı sokuyorum: önce bir tane, sonra iki, üç. Hem acıyla hem de zevkle inliyor, bu esnada diğer elimle aletini tutup onu tatmin ediyorum, sıcak sıvının parmaklarımın arasından aktığını hissediyorum, parmaklarımı ağzıma götürüp teker teker yalıyorum, sonra da yüzüne sürüyorum. Daha fazlasını istiyor. Yeter, diyorum. Burada kararları ben veririm!

Uyumadan önce mastürbasyon yapıyorum ve arka arkaya iki kez orgazma ulaşıyorum.

Sahne her zamanki gibi: Kocam iPad'inde günün haberlerini okuyor; çocuklar okula gitmek için hazırlar; pencereden içeri güneş giriyor; bense kafam başka şeylerle meşgulmüş gibi davransam da aslında birileri bir şeylerden şüphelenecek diye korkumdan ölüyorum.

"Bugün daha mutlu görünüyorsun."

Öyle görünüyorum ve öyleyim; ama olmamalıydım. Dün yaşadığım tecrübeyle herkesi tehlikeye attım, özellikle de kendimi. Bu cevabımda şüphe uyandıran bir unsur var mıdır acaba? Yoktur herhalde. Kocam söylediğim her şeye inanır. Aptal olduğundan değil –zaten aptallığın uzağından bile geçmez– bana güvendiğinden.

Ve bu beni daha da kızdırır. Güvenilir bir insan değilim ben.

Ya da: evet, güvenilirim. Otele olacaklardan habersiz olarak götürüldüm. İyi bir bahane mi? Hayır. Berbat bir bahane çünkü kimse beni oraya gitmeye zorlamadı. Kendimi yalnız hissettiğimi, ilgi isteyip görmediğimi, sadece hoşgörü ve anlayış gördüğümü öne sürebilirim. Yaptıklarım konusunda daha fazla sınanmam, sıkıştırılmam ve sorgulanmam gerektiğini söylüyorum kendi kendime. Bunun herkesin, rüyalarda da olsa, başına geldiğini öne sürebilirim.

Aslında olan gayet basit: Adamın biriyle yattım çünkü bunu yapmayı delice istiyordum. Bu kadar. Entelektüel veya psikolojik aklamalara yer yok. Düzüşmek istiyordum. Nokta.

Güvence, mevki, para uğruna evlenmiş insanlar tanırım. Sevgi bu listenin en sonundadır. Oysa ben sevgi uğruna evlendim.

Öyleyse neden böyle bir şey yaptım?

Yalnızlık çekiyorum da ondan. Peki neden?

"Seni mutlu görmek çok güzel," diyor kocam.

Evet, diyorum, sahiden de mutluyum. Güzelim bir sonbahar sabahı evim toplu, sevdiğim adam yanımda.

Kalkıp dudaklarıma bir öpücük konduruyor. Çocuklar neyden bahsettiğimizi pek anlamasalar da gülümsüyorlar.

"Benim de sevdiğim kadın yanımda. Ama neden birden böyle hissettin?"

Neden hissetmeyecekmişim?

"Saat henüz erken. Aynı şeyi bu gece yatağa girdiğimizde tekrar söylersin."

Tanrı'm, kimim ben?! Neden böyle şeyler diyorum? Kocam hiçbir şeyden şüphelenmesin diye mi? Neden her sabahki gibi, ailesinin iyiliğini isteyen hamarat bir eş gibi davranamıyorum? Ne biçim sevgi gösterileri bunlar? Aşırı ilgi gösterirsen göze batabilir.

"Sensiz yaşayamam," diyor, sandalyesine dönerken.

Kaybolmuş gibiyim. Ama, ne tuhaftır ki, dün olanlar yüzünden en ufak bir suçluluk duymuyorum.

Gazeteye geldiğimde yazıişleri şefim başlıyor beni övmeye. Israrla önerdiğim yazım bu sabah basılmış.

"Yazıişlerine gizemli Kübalıyı öven bir sürü e-posta geldi. Herkes onun kim olduğunu merak ediyor. Adresini açıklamamıza izin verirse uzun süre sırtı yere gelmez."

Kübalı şaman! Gazeteyi okursa yazıdaki hiçbir şeyin kendi ağzından çıkmadığını görecek. Her şeyi şamanizm bloglarından arakladım. Galiba bunalımlarım evlilikle ilgili sorunlarla sınırlı kalmıyor; mesleğimin de hakkını vermekte zorlanmaya başladım.

Şefime Kübalının gözlerime bakıp kim olduğunu açıklamayayım diye beni tehdit ettiği ânı anlatıyorum. Şefim böyle şeylere inanmamamı söylüyor ve tek bir kişiye vermek için şamanın adresini istiyor: karısına.

"Bu aralar biraz stresli."

Bu aralar herkes biraz stresli, şaman dahil. Söz vermesem de ona soracağımı söylüyorum.

Ona *hemen şimdi* telefon etmemi istiyor. Aradığımda Kübalının tepkisi beni şaşırtıyor. Dürüst davranıp kimliğini gizli tuttuğum için teşekkür ediyor ve yazımda verdiğim bilgileri övüyor. Teşekkür edip yazının oldukça ses getirdiğini söylüyorum ve yeniden buluşabilir miyiz, diye soruyorum.

"İyi de zaten iki saat konuştuk! Elinde fazlasıyla malzeme olmalı!"

Gazeteciliğin sandığı gibi yürümediğini söylüyorum. Basılanların çok küçük bir kısmı o iki saatin ürünüydü. Büyük bölümünü kendi başıma araştırmak zorunda kalmıştım. Şimdiyse konuya daha farklı bir yönden yaklaşmam gerekiyor.

Şefim hâlâ yanımda, söylediklerimi dinleyip elleriyle bir şeyler anlatıyor. Tam Kübalı telefonu kapatmak üzereyken, yazıda birçok eksik nokta kaldığı konusunda son kez ısrar ediyorum. Bu "ruhani" arayışta kadının rolünü daha fazla araştırmam gerektiğini ve patronumun karısının kendisiyle tanışmayı çok istediğini söylüyorum. Gülüyor. Kendisiyle yaptığım anlaşmayı asla bozmayacağımı, adresini ve kabul günlerini zaten herkesin bildiğini söylüyorum.

Lütfen, ya kabul et ya da reddet. İstemiyorsan başkasını bulurum. Bu devirde sinir krizinin eşiğindeki hastaları tedavi edebileceğini iddia eden uzmanlardan bol bir şey yok. Tek farkın yöntemin ama şehirdeki tek şifacı sen değilsin. Sabahtan beri, çoğu Afrikalı bir sürü şifacı görünürlüklerini artırmak, para kazanmak ve olası bir sınırdışı edilme durumunda kendilerini koruyabilecek önemli kişilerle tanışmak için gazeteyi arayıp duruyorlar.

Kübalı bir süre dirense de kibrine ve rekabet korkusuna boyun eğiyor. Veyrier'deki evinde buluşmak için randevulaşıyoruz. Evini görmek için sabırsızlanıyorum – yazımı daha ilginç kılacak.

* * *

Veyrier kasabasındaki evinin muayenehaneye dönüştürülmüş küçük salonundayız. Duvarda Hint kültüründen alınmışa benzeyen şemalar asılı: enerji merkezlerinin konumları, ayak tabanlarının haritaları. Bir sehpanın üstünde kristaller duruyor.

Şaman ayinlerinde kadının yeri üzerine ilginç mi ilginç şeyler anlatıyor. Doğarken hepimizin aydınlanma anları yaşadığımızı, bunun kadınlarda daha sık görüldüğünü söylüyor. Mürekkep yalamış herkesin bildiği gibi tarım tanrıçaları daima kadındı ve mağara kabilelerinde şifalı otlar daima kadınlar tarafından kullanılırdı. Kadınlar ruhlar ve hisler dünyasına karşı çok daha duyarlı olduğundan eski doktorların "histeri" adını verdiğini, günümüzdeyse "bipolar" diye anılan –insanın aynı gün içinde mutluluğun en tepe noktasından mutsuzluğun en derin noktasına defalarca gidip gelmesine sebep olan– bunalımlara daha yatkındırlar. Kübalı şamana göre ruhlar kadınlarla konuşmaya, erkeklere nazaran çok daha fazla meyillidirler; çünkü kadınlar sözcüklerle ifade edilmeyen bir lisanı anlama konusunda erkeklerden üstündürler.

Anlayacağını düşündüğüm dilden konuşmaya çalışıyorum: Tüm bunlar aşırı duyarlılık yüzünden mi? Bizi istemediğimiz şeyleri yapmaya iten kötü bir ruhun var olma ihtimali hiç mi yok acaba?

Sorumu anlamıyor. Fikrimi başka şekilde kelimelere döküyorum. Kadınlar, neşe ile keder arasında göz açıp kapayana dek gidip gelebilecek denli dengesizlerse...

"Ben dengesiz sözcüğünü kullandım mı? Kullanmadım. Tam tersi. Hisleri son derece keskin olmasına rağmen erkeklerden daha azimlidirler."

Örneğin aşkta. Buna katılıyor. Başımdan geçenleri baştan sona anlatıyorum ve hıçkırıklara boğuluyorum. Yüzünde kayıtsız bir ifade var. Ama taş yürekli değil.

"Meditasyon aldatma konusunda pek işe yaramaz. Böyle durumlardan kişi zaten olan bitenden memnundur. Güvenliği sarsılmadıkça macerasını sürdürür. İdeal bir durumdur bu."

İnsanları eşlerini aldatmaya iten nedir?

"Uzmanlık alanım bu değil. Konuyla ilgili gayet kişisel bir görüşe sahibim; ama bunun basılmasını istemem."

Lütfen, yardım et bana.

Bir tütsü yakıyor, bağdaş kurup karşısına oturmamı istiyor ve kendisi de bağdaş kuruyor. O kaskatı adam birden gidip yerini bana yardım etmeye çalışan müşfik bir bilgeye bıraktı sanki.

"Evli insanlar, herhangi bir sebeple, üçüncü kişilerin peşinden giderlerse bu illa ilişkilerinin kötü gittiği anlamına gelmez. Bunun birincil sebebinin cinsellik olduğunu da düşünmüyorum. Daha çok sıkılmakla, yaşama sevincini kaybetmekle, ciddi zorluklarla karşılaşmadan tekdüze bir hayat sürmekle alakası vardır. Birçok unsurdan meydana gelir."

Peki neden böyledir?

"Çünkü, biz insanlar Tanrı'dan uzaklaştığımızdan varlığımızı parçalanmış halde sürdürürüz. Birleşmeye uğraşsak da bunu nasıl başaracağımızı bilmeyiz, bu yüzden de geçmek bilmez bir memnuniyetsizlik içinde yaşarız. Toplum yasalar çıkarıp yasaklar koyar ama bu da sorunu çözmez."

Üzerime bir hafiflik geliyor, farklı bir duyu edinmiş gibiyim. Gözlerine bakınca görüyorum: Ne dediğini biliyor, bu yollardan geçmiş.

"Tanıdığım bir adam vardı, sevgilisiyle her buluştuğunda iktidarsızlaşırdı. Yine de onunla vakit geçirmeye bayılırdı, keza sevgilisi de öyle."

Kendime hâkim olamıyorum. Bu adamın kendisi olup olmadığını soruyorum.

"Evet. Karım beni bu yüzden terk etti. Bence böylesine ağır bir karara yol açacak kadar önemli bir konu değildi."

Sen ne tepki verdin?

"Ruhlardan yardım isteyebilirdim ama bunun bedelini sonraki yaşamımda ödemem gerekirdi. Yine de karımın neden öyle davrandığını anlamak istiyordum. Şeytana uyup onu bildiğim büyülerle geri getirme arzuma karşı koyabilmek adına konuyu derinlemesine araştırmaya başladım."

Kübalı adam kendisinden beklenmeyen bir şekilde öğretmenimsi bir tavır takınıyor.

"Austin'deki Teksas Üniversitesi'nden araştırmacılar birçok kişinin kendi kendine sorduğu soruya bir cevap bulmaya çalışmışlar: Erkekler, bu davranışlarının hem kendilerine zarar verdiğini hem de sevdiklerini incittiklerini bilmelerine rağmen aldatmaya neden kadınlardan daha meyillidirler? Vardıkları sonuç, erkeklerin de kadınların da eşlerini aldatma arzusunun eşit olduğuymuş. Ama kadınların iradesi daha güçlüymüş."

Saatine bakıyor. Anlatmaya devam etmesini rica ediyorum ve onun da yüreğini açabildiği için memnun olduğunu fark ediyorum.

"Cinsel güdüyü tatmin etmekten başka amacı olmayan, erkeğin hiçbir duygusal iletişime girmediği kısa buluşmalar türümüzün çoğalarak hayatta kalmasını sağlar. Zeki kadınlar bu yüzden erkekleri suçlamamalılar. Erkekler buna karşı koymaya çalışsalar da biyolojik açıdan böyle davranmaya yatkındırlar. Fazla mı teknik kaçtı?"

Hayır.

"Hiç fark ettin mi, trafik kazalarının ölüm oranı çok daha yüksek olmasına rağmen insanlar arabalardan çok yılanlar ve örümceklerden korkarlar. Bunun sebebi, zihnimizin hâlâ yılanların ve örümceklerin ölüme sebep olduğu mağara devrindeymişiz gibi işlemesidir. Aynı durum erkeğin birden fazla kadına ihtiyaç duyması için de geçerlidir. O zamanlar doğa, ava çıkan erkeğe şunu öğretmişti: Önceliğin, türünü devam ettirmek; olabildiğince fazla sayıda kadını hamile bırakmalısın."

Kadınlar da türlerini devam ettirmeyi düşünmüyorlar mıydı peki?

"Elbette düşünüyorlardı. Ama erkeklerin türlerine olan yükümlülükleri en fazla on bir dakikada sona ererken, kadınlar için her bir çocuk en az dokuz ay gebe kalmak anlamına gelirdi. Ayrıca yavrularına bakması, onları beslemesi ve örümcek ve yılan gibi tehlikelerden koruması gerekirdi. İşte bu yüzden kadınların içgüdüleri daha farklı şekilde gelişti. Şefkat ve irade onlar için daha önemli hale geldi."

Kendinden bahsediyor. Kendi yaptıklarını aklamaya çalışıyor. Etrafıma göz gezdirince Hint işi şemaları, kristalleri, tütsüleri görüyorum. Özümüzde hepimiz aynıyız. Aynı hataları işliyor ve aynı cevapsız sorularla hayatımızı sürdürüyoruz.

Kübalı şaman bir kez daha saatine bakıyor ve vaktimizin dolduğunu söylüyor. Başka bir müşterisi gelecek ve hastalarının bekleme odasında karşılaşmasından çekiniyor. Yerinden kalkıp beni kapıya kadar geçiriyor.

"Kabalık etmek istemem ama lütfen beni bir daha arama. Sana söyleyebileceğim her şeyi söyledim."

İncil'de şöyle geçer:

> O gece Davut yatağından kalkıp konutunun taraçasına çıkmış. Yıkanan bir kadın görmüş, çok güzel bir kadınmış bu. Davut kim olduğunu öğrenmek için haber salmış.
>
> Kadının Uriya'nın karısı Bat-Şeva olduğunu söylemişler. Bunun üstüne Davut adamlarını gönderip kadını yanına getirtmiş. Birlikte yatmışlar, ardından da kadın evine gitmiş. Sonra bir gün Davut'a haber yollamış: Hamileyim.
>
> Bunun üstüne Davut sadık savaşçılarından Uriya'nın tehlikeli bir görevle cephenin en önüne gönderilmesini emretmiş. Uriya ölmüş ve Bat-Şeva kralın sarayına taşınmış.

Nesilden nesile herkese örnek gösterilen yiğit savaşçı Davut sadece zina etmekle kalmamış, rakibini de sadakatinden ve iyi niyetinden faydalanarak öldürtmüştür.

Zina ya da adam öldürmeyi İncil'den alıntılarla haklı göstermeye çalışıyor değilim. Ama bu hikâyeyi okuldan hatırlıyorum – Jacob'la ilkbaharda öpüştüğümüz okuldan.

Bu öpüşmenin tekrarlanması için on beş yıl beklemek gerekti ve nihayet gerçekleştiğinde her şey tam da hayal *etmediğim* gibi oldu. Alçakça, bencilce, nahoş bir biçimde gerçekleşti. Buna rağmen bayıldım ve tekrarlamayı çok istedim, hem de bir an önce. On beş gün içinde tam dört kez buluştuk bile. Tedirginliğimiz zamanla geçti. Hem normal hem de alışılmadık biçimlerde birçok kez ilişkiye girdik. Ellerini bağlayıp beni zevkten çıldırtana dek oramı öptürme fantezimi hâlâ gerçekleştiremesem de yakında başaracağım.

Marianne zamanla gözümdeki önemini yitiriyor. Zaten ne kadar önemsiz ve uzak olduğu dün yeniden kocasıyla birlikte olmamdan belli. Madam König'in olanları keşfetmesini ve boşanmasını asla istemem; çünkü bu sayede, onca çabayla hislerimi dizginleyerek elde ettiğim her şeyden, yani çocuklarımdan, kocamdan, işimden ve bu evden vazgeçmem gerekmeden sevgili sahibi olmanın tadını çıkarabilirim.

Evimde sakladığım ve her an bulunabilecek kokaini ne yapacağım? Bana pahalıya mal oldu. Hayatta başkasına satamam. Vandœuvres Cezaevi'ne girmeye hiç niyetim yok. Bir daha kullanmamaya yemin ettim. Sevdiğini bildiğim insanlara hediye etsem itibarımı zedeleyebilirim ya da daha fenası, arkası gelecek mi diye sormaya başlayabilirler.

Jacob'la yatma hayalimi gerçekleştirince havalara uçsam da artık gerçek dünyaya döndüm. Hissettiklerimi başta aşk sansam da her an sönebilecek bir tutkudan öteye gitmediğini keşfettim. Zaten sönmesini de yeğlerim: İstediğim macerayı yaşadım, kuralları çiğnemenin tadını aldım, yeni cinsel tecrübeler edindim, mutlu oldum. Üstelik bütün bunları yaparken en ufak bir vicdan azabı çekmedim. Senelerce uslu durduktan sonra böyle bir hediyeyi hak ettim.

Kendimle yeniden barıştım. Daha doğrusu, bugüne kadar barışıktım.

Günlerdir deliksiz uyumama rağmen bugün ejderhanın dibini boyladığı uçurumdan geri tırmanmaya başladığını hissettim.

Sorun bende mi yoksa yaklaşan Noel'de mi? Sene boyunca kendimi en depresif hissettiğim dönem bu – ve hormonal dengesizlikten veya bünyemdeki kimi kimyasalların eksikliğinden kaynaklanmıyor. Cenevre'de yılın bu döneminin başka ülkelerdeki boyutlara varmamasına seviniyorum. Bir defasında yılbaşını New York'ta kutlamıştım. Her taraf ışıklarla, süslemelerle, sokak korolarıyla, ışıl ışıl vitrinlerle, rengeyikleriyle, çıngıraklarla, sahte kar taneleriyle, her boydan rengârenk toplarla bezeli ağaçlarla, suratlara yapışıp kalmış gülümsemelerle doluydu... Bense bütün bunların arasında kendimi bir uzaylı gibi hissediyordum, her şeyi garipseyen bir tek ben vardım. Hayatımda hiç LSD almamış olsam da oradaki gibi renklerin ancak dozu üç kat artırarak görülebileceğine emindim.

Buralarda olsa olsa anacaddelerde, herhalde turistleri hedefleyerek, birkaç süsleme yapılır. (Alışveriş yapın! Çocuklarınıza İsviçre'den bir hediye götürün!) Ama henüz oralardan geçmediğim için bu tuhaf hislerimin sebebi Noel olmasa gerek. Bacalardan sarkan ve bize aralık ayı boyunca mutlu olmamız gerektiğini hatırlatan Noel Babalar ortalarda görünmüyor.

Her zamanki gibi yattığım yerde dönüp duruyorum. Kocamsa her zamanki gibi uyuyor. Uyumadan önce seviştik. Son zamanlarda biraz sevişir olduk, arkasından çevirdiklerim belli olmasın diye mi yoksa libidom coştuğu için mi bilemiyorum. Son zamanlarda onu cinsel açıdan daha çekici bulmaya başladım. Eve geç geldiğimde hiç soru sormadı, kıskançlık etmedi. Üstümdeki lekelerin ve kokuların icabına bakmak için doğrudan banyoya gittiğim o ilk sefer hariç. Artık yanımda mutlaka yedek külot taşıyorum, duşumu otelde alıyorum ve asansöre makyajımı tazeleyip giriyorum. Gergin davranıp kuşkuları üzerime çekmeyi bıraktım. Otel asansörlerinde iki kez tanıdıklarıma rastladım, her seferinde onları selamlayıp içlerine şüphe düşürdüm: "Acaba biriyle mi buluşuyor?" Böyle yapmak insanın özgüvenini tazeler, herhangi bir tehlikesi de yoktur. Ne de olsa o kişiler de Cenevre'de yaşamalarına rağmen bir otelin asansöründeyseler en az benim kadar suçlu olmalıdırlar.

Tekrar uyuyup birkaç dakika içinde uyanıyorum. Victor Frankenstein canavarını yaratmıştı, Dr. Jekyll, Mr. Hyde'ın yüzünü göstermesine izin vermişti. Henüz böyle yapacağımdan korkmasam da şimdiden bazı davranış kuralları belirlesem iyi olacak.

Dürüst, yumuşak, şefkat dolu, profesyonel bir yanım vardır, zor anlarda, özellikle de kimi insanların saldırganlaştığı ya da sorularımı savuşturduğu röportajlar sırasında soğukkanlılığımı korumayı beceririm.

Ama son zamanlarda daha çok içgüdüsüyle hareket eden, vahşi, sabırsız bir yanımı keşfediyorum, bu halim sadece Jacob'la buluştuğum otelle sınırlı kalmayıp gündelik hayatımı da etkilemeye başladı. Biriken kuyruğa rağmen müşteriyle konuşmaya dalan bir mağaza görevlisi gördüğümde hemen öfkeleniyorum. Süpermarkete mecburiyetten gidiyorum, fiyat etiketleriyle son kullanım tarihlerine bakmayı çoktan bıraktım. Birisi bana ters gelen bir şey söylediğinde mutlaka görüşümü dile getiriyorum.

İnsanlarla siyaset hakkında konuşuyorum. Herkesin nefret ettiği filmleri savunup herkesin sevdiği filmleri eleştiriyorum. Saçma ve yersiz görüşler takınıp insanları şaşkına çevirmeye bayılıyorum. Kısacası, o her zamanki suskun kadın değilim ben artık.

İnsanlar da bunu fark etmeye başladılar. "Sende bir değişiklik var!" diyorlar. "Bir şeyler saklıyorsun," demekten bir adım uzaktalar, zaten ondan sonra da, "Sakladığın bir şey varsa yanlış işler çevirmişsin demektir," gelir.

Tabii bütün bunlar kuruntudan ibaret olabilir. Ama bugün kendimi, içimde iki farklı kişi varmış gibi hissediyorum.

Davut'un tek yapması gereken, adamlarına o kadını kendisine getirmelerini emretmekti. Kimseye hesap vermesi gerekmiyordu. Buna rağmen, sorunla karşılaştığı anda kocasını cephenin en önüne gönderdi. Benim durumumsa bundan farklı. Biz İsviçreliler ne kadar suskun olsak da kendimizi kaybettiğimiz iki durum vardır.

İlki trafiktedir. Yeşil yandıktan sonra saniyenin onda birinde arabayı kaldırmazsak herkes korna çalmaya başlar. Şerit değiştirince, sinyal versek dahi aynadan arkadaki arabada bize pis pis bakan bir surat görürüz.

İkinci tehlikeyse taşınırken veya başka türlü değişiklikle karşılaştığımızda ortaya çıkar; bu ev değişikliği de olabilir, iş veya tavır değişikliği de. Ülkemizde her şey sabittir, herkes beklendiği gibi davranır. Lütfen, kimse farklı davranıp habire kendini yeniden keşfetmeye kalkışmasın, yoksa toplumumuz için tehlike oluşturur. Ülkemiz "her şey hazır" seviyesine ulaşmışken gerileyip "tadilattayız" seviyesine dönmek istemeyiz.

Ailemle birlikte Victor Frankenstein'ın kardeşi William'ın öldürüldüğü yerdeyiz. Burası yüzyıllarca bataklık olarak kalmış. Cenevre Calvin'in amansız dokunuşuyla saygıdeğer bir kente dönüştükten sonra şehri salgınlardan korumak için hastalar buraya getirilip açlıktan veya soğuktan ölmeye terk edilmişler.

Şehir merkezindeki hemen hiç bitki barındırmayan tek yer uçsuz bucaksız Plainpalais meydanıdır. Kışın rüzgâr insanın kemiklerini sızlatır. Yazınsa güneşin altında kan ter içinde kalırız. Olacak iş değildir. Ama ne zamandan beri var olmak için iyi bir sebep gerekir ki?

Günlerden cumartesi ve meydanın dört bir yanı eski eşya satanların tezgâhlarıyla dolu. Buranın bitpazarı son yıllarda turistlerin ilgisini çekmeye, hatta seyahat kılavuzlarının "yapılması gerekenler" bölümlerinde yer almaya başladı. Burada XVI. yüzyıldan eşyalarla videolar yan yana görülebilir. Asya'nın en uzak köşelerinden gelen antika bronz heykeller 1980'lerden kalma korkunç mobilyalarla birlikte sergilenir. Meydan çok kalabalık. Antikadan anlayanlar eşyaları sabırla inceleyip satıcılarla uzun uzun konuşuyorlar. Turistler ve meraklı vatandaşlardan oluşan çoğunluksa sırf ucuz diye hayatta ihtiyaç duymayacağı bir sürü şey satın alıyor. Bu insanlar satın aldıklarını eve dönünce bir kere kullanıp, "Hiçbir işe yaramıyor ama yok pahasına aldım," diyerek garajlarına kaldıracaklar.

Çocuklardan bir an bile gözümü ayırmıyorum; çünkü değerli kristal vazolardan XIX. yüzyılın başından kalma, mekanizmalı oyuncaklara kadar her şeye dokunmak istiyorlar. Ama en azından elektronik oyuncakların ötesinde de bir hayatın var olduğunu keşfediyorlar.

İçlerinden biri, ağzı, kolları ve bacakları oynayan madenî bir palyaço satın alabilir miyiz diye soruyor. Kocam oyuncağa ilgisinin eve gidene kadar söneceğini iyi biliyor. Oyuncağın "eski" olduğunu ve dönüş yolunda yeni bir oyuncak alabileceğimizi söylüyor. Dikkatlerini hemen misket dolu bir kutuya çeviriyorlar, eskiden çocukların evlerinin bahçesinde oynadığı misketlerden.

Gözlerim küçük bir resme takılıyor: Yatağa uzanmış çıplak bir kadın ve yanından uzaklaşan bir meleği resmeden bir tablo bu. Satıcıya fiyatını soruyorum. Cevap vermeden önce (sudan ucuz) resmin bir reprodüksiyon olduğunu, ismi bilinmeyen bir yerel ressam tarafından yapıldığını söylüyor. Kocam bir şey söylemeden bizi izliyor ve daha ben satıcıya teşekkür edip yoluma devam etmeye fırsat bulamadan parayı uzatıp tabloyu satın alıyor.

Bunu neden yaptın?

"Tabloda eski bir efsane anlatılıyor. Eve dönünce anlatırım."

Aniden ona yeniden âşık olmak için müthiş bir arzu duyuyorum. Ona olan sevgim asla bitmeyecek –onu hep sevdim ve sevmeye devam edeceğim– ama birlikteliğimiz tekdüzeliğin kıyısına oturdu. Sevgi buna dayansa da aşk dayanamaz, ölür.

İçinden çıkması güç bir durumdayım. Jacob'la ilişkimin geleceği olmadığının ve hayatımı birlikte kurduğum erkekten uzaklaştığımın farkındayım.

Kim, "Sevgi her şeye yeter," dediyse yalan söylemiş. Yetmez, hiçbir zaman da yetmedi. Esas sorun, insanların kitaplara ve filmlere inanmaları – kumsalda el ele yürüyen bir çift, dalgın gözlerle günbatımını izliyorlar, Alp Dağları manzaralı güzelim otellerde her gün tutkuyla sevişiyorlar. Kocamla bütün bunları yaptık; ama büyü en fazla bir-iki sene sürer.

Ardından evlilik gelir. Ev bulup döşemek, müstakbel çocukların odasını planlamak, öpüşmek, evin çok yakında, tıpkı hayallerimizdeki gibi –derli toplu– döşenecek boş salonunda şampanya kadehlerimizi tokuşturmak. İki sene sonra ilk çocuk doğar, eve sığamaz haldeyizdir, daha fazla eşya koyarsak insanlar hayatımızı antika eşya satın alarak hava atmaya adadığımızı düşüneceklerdir (mirasçılarımızın sudan ucuz fiyata elden çıkaracakları antikaların son durağıysa Plainpalais Pazarı olacaktır).

Üç yıllık evliliğin ardından iki taraf da diğerinin aklından geçenleri anlar hale gelir. Defalarca dinlediğimiz hikâyeleri davetler ve yemeklerde yeniden dinlemeye mecbur kalırız, her seferinde şaşırmış numarası yaparız, arada bir de zorla anlatılanları pekiştiririz. Seksin alevi söner ve göreve dönüşür, haliyle de giderek seyrekleşir. Çok geçmeden haftada bire iner – hatta o bile nadir hale gelir. Kadınlar baş başa verip kocalarının ateşlerinin bir türlü sönmediğini söylerler ama bu düpedüz yalandır. Herkes bunu bilse de kimse altta kalmak istemez.

Derken evlilik dışı vakalar görülmeye başlanır. Kadınlar bu sefer de sevgililerinin ateşlerinin bir türlü sönmediğini birbirlerine anlatırlar –evet, kadınlar böyle şeyleri anlatır! Söyledikleri kısmen doğrudur çünkü ilişkileri çoğunlukla mastürbasyonun büyülü dünyasında gerçekleşir– bu kadınların dünyası da risk alıp karşılarına ilk çıkan erkeğe, niteliklerine bakmadan kapılan kadınların dünyası kadar gerçektir. Alımlılık çabasında on altı yaşındaki kızlarla yarışmalarına rağmen –ama on altılık kızlar en azından ellerindeki gücün farkındadırlar– pahalı elbiseler satın alıp gösterişsiz olduklarını iddia ederler.

Sonundaysa pes etmenin vakti gelir. Erkek eve dönmez olmuştur, işiyle meşguldür, kadınsa çocuklarının üstüne gereğinden fazla düşmektedir. İşte biz de bu aşamadayız ve gidişatı değiştirmek için her şeyi yapmaya hazırım.

Sevgi tek başına yetmez. Kocama âşık olmam lazım. Sevgi bir duygudan ibaret değildir; bir sanattır. Sanatta olduğu gibi sevgide de ilham yetmez, emek vermeden olmaz.

* * *

Melek neden kadının yanından uzaklaşıp onu yatakta yalnız bırakıyor?

"Melek değil. Eros, Yunan mitolojisindeki aşk tanrısı. Yataktaki kızın adıysa Psykhe'dir."

Bir şarap açıp kadehlerimizi dolduruyorum. Kocam tabloyu sönük şöminemizin –merkezi ısıtması olan evlerde süs işlevi görür– üstündeki çıkıntıya koyuyor. Sonra da anlatmaya başlıyor:

"Bir zamanlar güzeller güzeli bir prenses varmış, herkes ona hayranmış ama evlilik teklif etmeye kimse cesaret edemezmiş. Kral çaresizliğe kapılıp tanrılardan Apollon'a danışmış. Tanrı, krala Psykhe'yi yas tutarmış gibi karalar giydirip bir dağın tepesinde yalnız başına bırakmasını söylemiş. Gün doğmadan önce bir yılan oraya gidip onunla evlenecekmiş. Kral söyleneni yapmış. Prenses bütün gece korkudan ve soğuktan titreyerek kocasının gelmesini beklemiş. Sonunda dayanamayıp uyuyakalmış. Uyandığında kendini güzeller güzeli bir sarayda bulmuş, başında kraliçenin tacı varmış. Kocası her gece yanına geliyormuş ve sevişiyorlarmış. Lakin kocasının bir şartı varmış: Psykhe istediği her şeye sahip olabilirmiş, kocasına tamamen güvenmesi ve yüzünü asla görmemesi şartıyla."

Ne korkunç, diye geçiriyorum aklımdan; ama kocamın anlatmasını bölmüyorum.

"Kız uzun süre mutlu mesut yaşamış. Hem rahatı ve neşesi yerindeymiş hem de kendisini her gece ziyaret eden adama âşıkmış. Yine de bazen korkunç bir yılanla evlendiği için korkuyormuş. Bir gece, kocası uyurken bir kandil yakmış. Böylece yanında yatan adamın güzeller güzeli Eros olduğunu görmüş. Işık Eros'u uyandırmış. Sevdiği kadının ondan dilediği tek şeyi yerine getirmekten âciz olduğunu görünce ortadan kaybolmuş. Sevgilisini geri getirmek için her şeyi göze alan Psykhe, Eros'un annesi Aphrodite'in kendisini koştuğu işlere katlanmış. Kayınvalidenin gelinini ölesiye kıskandığını ve çiftin barışmasını engellemek için her yolu denediğini söylemeye gerek yok herhalde. Bu işlerin birinde Psykhe bir kutuyu açmasının ardından derin bir uykuya dalmış."

Hikâyenin sonunu öğrenmek için sabırsızlanmaya başlıyorum.

"Eros da karısına âşıkmış ve ona hoşgörü göstermediği için pişmanmış. Şatoya girip karısını okunun ucuyla uyandırmayı başarmış. 'Merakın neredeyse ölümüne sebep olacaktı,' demiş karısına. 'Bilmediğini öğrenirsen içinin rahat edeceğini sandın ama evliliğimizi yıktın.' Oysa aşkta hiçbir şey ilelebet yıkık kalmaz. Bunu bildikleri için birlikte tanrıların efendisi Zeus'a yakarmışlar, onun bir araya getirdiği şeylerin asla ayrılamayacağını söylemişler. Zeus sevgililerin davasını hararetle savunmuş ve birbirinden sağlam görüşler ve tehditler savurarak sonunda Aphrodite'ten izin almış. Böylece Psykhe (yani bilinçsiz ama mantıklı yanımız) ile Eros (yani aşk) sonsuza dek birlikte yaşamışlar."

Kadehlerimizi yeniden dolduruyorum. Başımı kocamın omzuna dayıyorum.

"Bunu kabullenmeyip insanlar arasındaki büyülü ve gizemli ilişkileri sürekli anlamlandırmaya çalışan kişiler hayatın sunduğu güzelliklerden mahrum kalırlar."

Bugün ben de kendimi dağın tepesinde soğuktan ve korkudan titreyen Psykhe gibi hissediyorum. Ama bu geceyi atlatır ve hayata olan inancımı kaybetmeyip gizemlerini kabullenirsem ben de gözlerimi bir sarayda açacağım. Tek ihtiyacım olan şey zaman.

Nihayet iki çiftin –yerel televizyon kanalının önemli sunucularından birinin verdiği– bir davette bir araya geleceği büyük gün gelip çatıyor. Dün oteldeki yatakta uzanmış, Jacob giyinip gitmeden önce âdet olduğu üzere sigarasını içerken bundan bahsediyorduk.

Daveti artık geri çeviremem çünkü gideceğime söz verdim. Jacob da öyle, hem şimdi fikir değiştirmesi "kariyeri için çok kötü" olurmuş.

Kocamla kanalın merkez binasına geldiğimizde davetin en üst katta olduğu söyleniyor. Asansöre binmeden önce telefonum çalınca kuyruktan çıkıp holün ortasında şefimle konuşurken oradan geçen diğer davetliler bana ve kocama gülümseyerek başlarını belli belirsiz eğiyorlar. Galiba hemen herkesi tanıyorum.

Şefim Kübalı şaman hakkındaki yazılarımın –ikincisi, yazalı bir aydan fazla olsa da, dün basıldı– büyük başarıya ulaştığını söylüyor. Diziyi bitirmeme son bir yazı kaldı. Kübalının artık benimle konuşmak istemediğini anlatıyorum. "Aynı takımdan" bir başkasını bulmamı; çünkü (psikologların, sosyologların, vs.) bu konudaki basmakalıp görüşlerinin kimsenin ilgisini çekmediğini söylüyor. "Aynı takımdan" kimseyi tanımıyorum ama telefonu kapatmam gerektiği için konuyu düşüneceğime söz veriyorum.

Jacob ile Madam König yanımızdan geçiyor ve başlarımızı sallayarak selamlaşıyoruz. Şefim tam telefonu kapatmak üzereyken konuşmayı sürdürmeye karar veriyorum. Onlarla aynı asansöre ölsem binmem! Bir çobanla Protestan papazı koymaya ne dersin, diye öneriyorum. Stresle veya sıkıntıyla nasıl başa çıktıklarını sorup kayda alsak ilgi çekmez mi? Şefim bunun harika bir fikir olduğunu ama "aynı takımdan" birini bulsak daha iyi olacağını söylüyor. Tamam, elimden geleni yapacağım. Kapılar çoktan kapandı, asansör yukarı çıktı bile. Artık telefonu rahatlıkla kapatabilirim.

Şefime davete son gelen kişi olmak istemediğimi söylüyorum. Şimdiden iki dakika geciktim. Burası İsviçre, saatlerin asla şaşmadığı ülke.

Evet, son aylarda biraz tuhaflaşmış olabilirim ama bir konudaki tavrım hiç değişmedi: Davetlerden nefret ediyorum. İnsanlar neden bu kadar severler, anlamıyorum.

Evet, insanlar davetleri severler. Bugünkü kokteyl gibi –evet, kokteyl; eğlence falan yok– profesyonel bir davete gelmeden önce dahi insanlar giyinip süslenir, bıkmış havalarda arkadaşlarına *Pardonnez-moi* adlı programın sunucusu yakışıklı, zeki ve fotojenik Darius Rochebin'in verdiği salı günkü resepsiyona gitmek zorunda olduklarını anlatırlar. "Önemli" herkes davette boy gösterecek, geride kalanlarsa İsviçre'nin Fransız tarafındaki nüfusun tamamına seslenen tek dedikodu dergisinde yayımlanacak fotoğraflarla yetinecek.

Böyle davetlere gitmek insanın statüsünü ve görünürlüğünü artırır. Bizim gazete de arada bir böyle etkinliklere yer verdiğinde ertesi gün önemli kişiler yardımcılarına bizi arattırıp kendilerinin yer aldığı fotoğraflar yayımlanırsa son derece müteşekkir kalacaklarını bildirtirler. Böyleleri için bu etkinliklere davet edilmenin ardından olabilecek en güzel şey, sonrasında medyada hak ettikleri ilgiyi görmektir. Bunun en etkili yolu, (asla itiraf edilmese de) özellikle bu davet için dikilmiş giysilerle ve yüzlerde her davette görülebilen gülümsemelerle, iki gün sonra gazeteye çıkmaktır. Neyse ki dedikodu sayfalarından ben sorumlu değilim, yoksa kendimi Victor Frankenstein'ın canavarı gibi hissettiğim şu günlerde çoktan işten atılmıştım.

Asansörün kapıları açılıyor. Holde iki-üç fotoğrafçı var. Şehrin 360 derecelik panoramik manzarasının görüldüğü ana salonun yoluna giriyoruz. Bulutumuz sanki Darius'e iyilik edip gri örtüsünü biraz kaldırmış: Şehir manzarası ışıklı bir deniz gibi gözlerimizin önüne seriliyor.

Çok kalmayalım, diyorum kocama. Sonra da gerginliğimi atmak için çılgınca konuşmaya başlıyorum.

Lafımı kesip, "İstediğin zaman gidebiliriz," diye karşılık veriyor.

Ardından yakın dostmuşuz gibi davranan bitmek bilmez bir güruhla selamlaşmaya dalıyoruz. İsimlerini bile bilmediğim bu insanlara ben de aynı şekilde karşılık veriyorum. Lafı uzatırlarsa asla şaşmayan yöntemimi uyguluyorum: Kocamı takdim edip susuyorum. Kocam kendini tanıtıp karşısındakinin ismini soruyor. Ben de cevabına kulak kabartıp yüksek sesle tekrarlıyorum: "Canım, Falanca'yı hatırlamadın mı?"

Pişkinliğin böylesi!

Selamlaşma faslı bitince kocamı bir köşeye çekip söylenmeye başlıyorum: İnsanlar neden habire kendilerini hatırlıyor muyuz diye soruyorlar? Utanıyorum artık. Herkes kendini önemli biri gibi görüyor, işim yüzünden her gün bir sürü yeni insanla tanıştığımı bilmeden isimlerini hafızama kazımamı bekliyorlar.

"Biraz anlayış göster. İnsanlar eğleniyor."

Kocam ne dediğinin farkında değil. İnsanlar eğlenmiyor, sadece eğleniyormuş gibi yapıyor, aslında görünürlük, ilgi ve –bazen de– iş bağlantılarının peşindeler. Kırmızı halıya ayak basınca kendilerini güzel mi güzel, güçlü mü güçlü gören bu insanların kaderleri yazıişlerindeki zavallı bir çalışanın elindedir. Küçük, geleneksel ve basmakalıp dünyamızda kimlerin yer alıp kimlerin almayacağına, fotoğrafların e-posta üzerinden gönderildiği, sayfa düzeninden sorumlu bu kişi karar verir. Gazeteyi ilgilendiren insanların resimlerini koyar, davetin (ya da kokteylin, yemeğin, resepsiyonun) genel görüntüsünü yansıtan o ünlü fotoğrafa küçücük bir yer ayırır. Kendilerini son derece önemli gören kişilere ait kafaların arasında, şansınız varsa, bir-iki kişiyi zar zor seçebilirsiniz.

Darius sahneye çıkıp programının yayında olduğu on sene boyunca röportaj yaptığı bütün önemli kişilerle ilgili anılarını anlatmaya başlıyor. Biraz gevşemeyi başarıyorum ve kocamla birlikte pencerelerden birinin önüne gidiyoruz. Radarım Jacob ile Madam König'in yerini çoktan tespit etti. Aramıza mesafe koymak istiyorum, herhalde Jacob da aynı şeyi düşünüyordur.

"Sen iyi misin?"

Bu sorunun geleceği belliydi. Bugün Dr. Jekyll mısın yoksa Mr. Hyde mı? Victor Frankenstein mısın yoksa canavarı mı?

Hayır, canım. Dün yattığım adamla karşılaşmamaya çalışıyorum, o kadar. Salondaki herkesin her şeyi bildiğinden, alınlarımızda "sevgililer" yazdığından kuşkulanıyorum.

Gülümsüyorum, bıktırana kadar tekrarladığım üzere, artık davetlere gidecek yaşı geçtiğimi söylüyorum. Şu anda evde, çocuklarımızla birlikte olmayı çok isterdim, oysa onları bir dadıya emanet ettik. İçkiyle aram yok, habire beni selamlayıp lafı uzatan insanlara katlanmaktan, hiç ilgimi çekmeyen konulara ilginç muamelesi yapmaktan, arada bir fırsat bulup ağzıma attığım kanepeyi terbiyeden yoksun görünmemeye çalışarak çiğnemekten gına geldi.

Sahneye tepeden bir ekran iniyor ve programdan gelip geçen önemli konukların görüntüleri geçmeye başlıyor. İş icabı kimileriyle tanışmışlığım olsa da çoğu Cenevre'ye seyahat için gelmiş yabancılar. Herkesin bildiği gibi şehirde daima önemli birileri vardır ve illa bu programa giderler.

"O zaman gidelim, hadi. Darius nasılsa geldiğini gördü. Toplumsal görevimizi yerine getirdik. Gecenin geri kalanında bir film izleyip baş başa kalırız."

Hayır. Biraz daha kalacağız çünkü Jacob ile Madam König buradalar. Tören sona ermeden davetten ayrılmak tuhaf kaçabilir. Darius programına davet ettiklerinden bazılarını sahneye çağırıp kısaca deneyimlerini anlattırıyor. Sıkıntıdan ölmek üzereyim. Davete tek başına gelen erkekler etraflarına çaktırmadan göz gezdirip yalnız kadınları arıyorlar. Kadınlarsa birbirlerini süzüyorlar: Ne giyinmişler, makyajları nasıl, yanlarında kocaları mı yoksa sevgilileri mi var, merak ediyorlar.

Pencereden dışarıdaki şehre bakıyorum, düşüncelerimin ıssızlığında kaybolmuş haldeyim, sadece kimsenin dikkatini çekmeden oradan ayrılabilmek için zamanın geçmesini bekliyorum.

"Sen!"

Ben mi?

"Canım, seni çağırıyor!"

Darius'ün beni sahneye çağırdığını bile duymamışım. Evet, programına konuk olmuştum, diğer konuksa İsviçre'nin eski cumhurbaşkanıydı, insan haklarından bahsetmiştik. Oysa ben pek önemli biri sayılmam. Böyle bir şeyi hiç beklemiyordum; önceden kararlaştırmadığımız için konuşma falan hazırlamamıştım.

Ama Darius eliyle işaret ederek beni çağırıyor. Her-

kes gülümseyerek bana bakıyor. Sahneye doğru yürüyorum – kendimi çabucak toparlıyorum, Marianne'ın çağrılmadığını ve çağrılmayacağını düşünerek seviniyorum. Aynı şey Jacob için de geçerli, ne de olsa gecenin amacı insanların canını siyasi söylemlerle sıkmak değil, eğlenmek.

Ayaküstü kurulmuş sahneye çıkıyorum –aslında sahneden çok kanal binasının tepesindeki salonu iki mekâna bölen bir merdiven burası– Darius'ü öpüyorum ve programa konuk olduğumda başımdan geçen gayet sıkıcı bir anımı anlatmaya başlıyorum. Erkekler avlanmaya, kadınlarsa birbirlerini süzmeye devam ediyor. Tanıdıklarım söylediklerim ilgilerini çekiyormuş numarası yaparak beni dinliyorlar. Gözlerimi kocamdan ayırmıyorum; kalabalığa hitap eden herkes birinden destek alır.

Doğaçlama konuşmamın ortasına geldiğimde asla hayal edemeyeceğim bir şeye tanık oluyorum: Jacob ile Marianne König kocamın yanındalar. Bütün bunlar iki dakikadan kısa bir sürede meydana geliyor, sahneye daha yeni çıkıp konuşmaya başladım, garsonlar kalabalığın arasında gezinmekte, davetlilerse daha ilginç bir şey bulmak için etrafa bakmaktalar.

Lafı kısa kesip teşekkür ediyorum. Davetliler alkışlıyor. Darius beni öpüyor. Kocamın König çiftiyle birlikte dikildiği yere yürümeye başlıyorum ama söylemediğim şeylerden dolayı beni kutlayan insanlar yolumu kesiyor, harika olduğumu, şamanizm yazı dizisine bayıldıklarını söylüyor, tavsiyelerde bulunuyor, elime kartvizitler tutuşturuyor, "son derece ilginç" bulacağımı konularda bana "kaynaklık" edebileceklerini ima ediyorlar. Bütün bunlar on dakika kadar sürüyor. Görevimi tamamlayıp kaderime yaklaştığımda, yani işgalciler gelmeden önce bulunduğum yere döndüğümde üçünün de gülümsediğini görüyorum. Beni kutlayıp kalabalık karşısında çok iyi konuştuğumu söyledikten sonra karar açıklanıyor:

"Ben de tam senin yorgun olduğundan ve çocukları dadıya teslim ettiğimizden bahsediyordum ama Madam König akşam yemeğini birlikte yememiz için ısrar ediyor."

"Aynen öyle. Herhalde hepimizin karnı açtır, değil mi?" diyor Marianne.

Jacob da yüzünde sahte bir gülümsemeyle karısını onaylıyor, mezbahaya giden bir koyuna benziyor.

Bir anda aklımdan iki yüz bin mazeret geçiyor. Ama buna ne lüzum var ki? Kokainim bol, dilediğim anda planımı uygulayabilirim, hem uygulama konusunda son kararımı vermek için bundan uygun bir "fırsat" düşünemiyorum.

Hepsinden önemlisi de, bu yemeğin nasıl geçeceğini ölesiye merak ediyorum.

Memnuniyetle, Madam König.

* * *

Marianne mekân olarak Hotel des Armures'ün restoranını seçiyor; bence yavan bir seçim çünkü herkes yabancı misafirlerini oraya götürür. Fondüsü nefistir, garsonlar akla gelebilecek her dili konuşmaya uğraşır, şehrin tarihî kısmının kalbinde yer alır... *Ama,* Cenevre'de yaşayanlar için hiçbir çekici yanı yoktur.

Restorana König çiftinden sonra varıyoruz. Jacob restoranın önüne çıkmış, sigara bağımlılığı adına soğuğa katlanıyor. Marianne içeri girmiş. Kocama ben burada Sayın König'le kalıp sigarasını bitirmesini beklerken kendisinin içeri girip Madam König'e eşlik etmesini öneriyorum. Tersini yapmamızı söylüyor ama ısrar ediyorum – birkaç dakikalığına dahi olsa iki kadını masada yalnız başına bırakmak yakışık almaz.

"Davet beni de hazırlıksız yakaladı," diyor Jacob, kocam içeri girer girmez.

Hiç dert etmiyormuşum gibi davranmaya çalışıyorum. Suçluluk mu duyuyor ki? Mutsuz evliliğinin (o ruhsuz cadalozla olan evliliğinin, diye eklemek istiyorum) sona ereceğinden mi endişeleniyor?

"Hiç alakası yok. Aslında..."

Lafımız cadaloz tarafından kesiliyor. Dudaklarında şeytani bir gülümsemeyle beni (tekrardan!) üç kez öperek selamlıyor ve bir an önce içeri girelim diye kocasına sigarasını söndürmesini *emrediyor*. Satır aralarını okuyorum: İkinizden şüpheleniyorum; bir işler çeviriyorsunuz ama unutmayın ki ben sandığınızdan çok daha uyanık ve akıllıyım.

Her zamanki siparişimizi veriyoruz: Fondü ve *raclette*. Kocam peynir yemekten bıktığını söyleyip farklı bir yemek seçiyor: daha önce konuklarımızı getirdiğimizde tadına baktığımız iri bir sosis. Şarap da geliyor; ama Jacob şarabı koklamıyor, kadehinde çevirmiyor, tadına bakıp garsona tamam işareti vermiyor – bütün bunları ilk buluşmamızda beni etkilemek için yapmış. Yemeklerimizi bekleyip hoş ve boş konulardan bahsederken ilk şişeyi bitirip ikinciyi getirtiyoruz. Kocama içkiyi fazla kaçırırsa arabayı yine restoranda bırakmak zorunda kalacağımızı söylüyorum, bu kez evden daha da uzaktayız.

Yemeklerimiz geliyor. Üçüncü şişeyi açtırıyoruz. Hoş ve boş konulardan bahsetmeye devam ediyoruz. Jacob, her Eyaletler Konseyi üyesinden bekleneceği üzere, stres konusundaki iki yazımı ("oldukça olağandışı yaklaşımımdan dolayı") kutluyor; bankalar gizli bilgilerini açıklamaya başlayacakları için emlak fiyatlarının düşebileceğinden, binlerce bankerin Singapur'a ya da yıl sonu kutlamaları için gideceğimiz Dubai'ye taşınacağından bahsediyoruz.

Boğanın arenaya çıkmasını bekliyorum. Bir türlü çıkmayınca kalkanımı indiriyorum. İçkiyi biraz fazla kaçırıyor, rahatlayıp neşelenmeye başlıyorum ve birdenbire boğanın gerisinde beklediği kapılar açılıyor.

"Geçen gün arkadaşlarımla kıskançlık denen saçma duygudan bahsediyorduk," diyor Madam König. "Sizlerin bu konudaki fikri ne?"

Böyle sofralarda asla konuşulmayan bir konu hakkındaki fikrimizi mi soruyor? Cadaloz cümlesini iyi kurdu. Bütün gün bunu tasarlamış olmalı. Kıskançlığa "saçma duygu" diyerek foyamı açığa çıkarıp beni savunmasız yakalamayı amaçlıyor.

"Ben ailemin evinde kıskançlık yüzünden çıkan kavgaları izleyerek büyüdüm," diyor kocam.

Ne? Kocam özel yaşamından mı bahsediyor? Hem de bir yabancıya!

"Dolayısıyla bir gün evlenirsem aynı şeyi yaşamayacağıma dair kendime söz verdim. Başta kolay olmadı, ne de olsa içgüdülerimiz bizi her şeyi, sevgi ve sadakat gibi en kontrol edemeyeceğimiz şeyleri dahi yönetmeye iter. Ama sonunda başardım. Karım her gün farklı kişilerle buluşmasına ve bazen eve geç gelmesine rağmen ona bir kez olsun kızmamış, ters bir imada bulunmamışımdır."

Bunu da hiç duymamıştım. Kocamın büyürken ailesinin kıskançlık kavgalarına tanık olduğunu bilmiyordum. Cadaloz herkesi emirlerine itaat ettirmesini biliyor: yemeğe gidelim, sigaranı söndür, seçtiğim konudan bahsedelim.

Kocamın biraz önce anlattıklarının iki açıklaması olabilir. Birincisi, konu seçiminden işkillendiğinden beni korumaya çalışıyor olabilir. İkincisi, bana, herkesin önünde, kendisi için ne kadar önem taşıdığımı söylemek istiyor olabilir. Uzanıp elini tutuyorum. Söyledikleri hiç aklıma gelmemişti. İşimde yaptıklarımla hiç ilgilenmediğini zannediyordum.

"Ya sen, Linda? Kocanı hiç kıskanmaz mısın?"

Ben mi?

Kıskanır mıyım hiç, ona güvenim tamdır. Bence kıskançlık hasta, güvensiz, kendine saygısı kalmamış, kendini aşağı gören ve ilişkisinin herkes tarafından sarsılabileceğine inanan insanlara özgüdür. Ya sen?

Marianne kendi tuzağına düşüyor.

"Dediğim gibi, bence saçma bir duygu."

Evet, öyle dedin. Ama kocanın seni aldattığını öğrensen ne yapardın?

Jacob bembeyaz kesiliyor. Sorumun ardından kadehindeki şarabı kafaya dikmemek için kendini zor tutuyor.

"Bence Jacob her gün bir sürü güvensiz, kendi evliliğinde sıkıntıdan ölen, vasat ve tekdüze bir yaşam sürmeye mahkûm insanla karşılaşıyor. Herhalde senin mesleğinde de doğrudan muhabirlikten emekliliğe atlayan böyle bir sürü insan vardır..."

Olmaz mı hiç, diyorum duygusuzca. Fondüden biraz daha almak için çatalımı uzatıyorum. Gözlerini gözlerime dikiyor, beni kastettiğini *biliyorum* ama kocamın durduk yerde şüpheye kapılmasını istemiyorum. Marianne da Jacob da umurumda değil, zaten Jacob baskıya dayanamayıp her şeyi itiraf etmiştir herhalde.

Sakin kalabildiğime şaşıyorum. Belki de bunu şaraba veya olanları eğlenceli bulan canavara borçluyumdur. Belki de her şeyi bildiğini zanneden bu kadınla yüzleşmenin verdiği müthiş hazza borçluyumdur.

Devam edebilirsin, diyorum çatalıma batırdığım ekmek parçasını erimiş peynirin içinde çevirirken.

"Elbette bu sevgisiz kalmış kadınlar benim için tehdit oluşturmaz. Siz birbirinize güvenseniz de ben Jacob'a körü körüne güvenmiyorum. Beni birkaç kez aldattığını biliyorum, ne de olsa ruh isteklidir ama beden güçsüzdür..."

Jacob tedirginlikle gülüp şarabından bir yudum daha alıyor. Şişenin bittiğini gören Marianne garsona bir şişe daha getirmesini işaret ediyor.

"... ama bunu ilişkilerin doğal bir parçası olarak görmeye çalışıyorum. Kocam böyle sürtükler tarafından arzulanıp kapışılmazsa çekiciliğini tamamen kaybetmiş demektir. Onu kıskanmıyorum. Tam tersi, tahrik oluyorum. Arada bir üstümü çıkarıp çırılçıplak kocama yanaşıyor, bacaklarımı açıp bana o kadınlara yaptıklarının aynısını yapmasını söylüyorum. Hatta bazen onlarla yaptıklarını benimle sevişirken anlatmasını istiyor, ardından da defalarca geliyorum."

Jacob, "Bunlar Marianne'ın fantezileri," dese de pek inandırıcı değil. "Hep böyle şeyler uydurur. Geçenlerde de Lozan'daki bir *swing* kulübüne gitmek isteyip istemediğimi sormuştu."

Jacob gayet ciddi olsa da hepimiz gülüyoruz, karısı dahil.

Demek Jacob "sadakatsiz erkek" diye anılmaya bayılıyormuş; dehşete kapılıyorum. Kocam Marianne'ın cevabını ilginç bulmuş olacak ki ondan evlilik dışı maceraları öğrendiğinde hissettiği şehveti biraz daha anlatmasını istiyor. *Swing* kulübünün adresini sorup gözleri parıldayarak benimle kesişiyor. Değişik bir şeyler denememizin vaktinin çoktan geldiğini söylüyor. Sofradaki gittikçe katlanılmaz hale gelen havayı dağıtmaya mı çalışıyor, yoksa sahiden yeni şeyler denemenin mi peşinde, bilemiyorum.

Marianne adresi ezbere bilmediğini ama telefonunu verirse sonradan mesaj gönderebileceğini söylüyor.

Harekete geçme vakti geldi. Kıskanç insanların genelde insan içinde tam tersi bir tutum sergilediklerini söylüyorum. Eşlerinin davranışları hakkında bilgi edinebilmek için türlü türlü imalarda bulunmaya bayılsalar da bunu başarabileceklerini düşünmek saflıktır. Örneğin ben, kocanla ilişkiye girseydim haberin bile olmazdı çünkü bu tuzağa düşecek kadar aptal değilimdir.

Ses tonum biraz değişiyor. Kocam verdiğim cevaba şaşırmış halde bana bakıyor.

"Canım, haddini biraz aşıyor olmayasın?"

Hayır, aşmıyorum. Bu konuyu açan ben değildim ve Madam König'in lafı nereye getirmeye çalıştığını bilmiyorum. Ama buraya geldiğimizden beri imalarda bulunup duruyor ve artık burama kadar geldi. Sofradaki, kendisi hariç, kimsenin ilgisini çekmeyen bir konuyu ortaya atıp biz konuşurken gözlerini benden ayırmadığını fark etmedin mi yoksa?

Marianne hayretle bana bakıyor. Sanırım böyle bir tepki beklemiyordu, ne de olsa her şeyi kontrol etmeye alışık.

Takıntıya varan bir kıskançlığın pençesinde birçok insan tanıdığımı söylüyorum, kocaları ya da karıları kendilerini aldatıyor diye değil, sürekli kendi istedikleri gibi ilgi odağı olamadıkları için. Jacob garsonu çağırıp hesabı istiyor. Harika. Bizi davet ettiklerine göre hesabı da kendileri ödemeli.

Saatime bakıp numaradan şaşırıyorum: Dadıya söylediğimiz dönüş saatini çoktan geçirmişiz! Masadan kalkıp yemek için teşekkür ediyorum ve paltomu almak için vestiyere gidiyorum. Arkam sıra konu, hemen çocuklara ve beraberlerinde gelen sorumluluklara geliyor.

Marianne'ın kocama, "Sahiden kendisinden bahsettiğimi mi sandı?" dediğini duyuyorum.

"Olur mu hiç! Bunun için hiçbir neden yok."

Dışarının soğuğuna çıkınca pek konuşmuyoruz. Huysuzum, huzursuzum ve ısrarla Marianne'ın bal gibi de benden bahsettiğini, onun seçim gününde bile bir sürü imada bulunacak denli deli olduğunu söylüyorum. Sürekli ilgiyi üzerine çekmek istiyor, siyaset kariyerinde başarılı olsun diye her hareketini kontrol ettiği ve uslu durmaya zorladığı bir salak uğruna kıskançlığından çatlıyor, oysa elinde olsa dümeni kendisi tutmak, neyin doğru neyin yanlış olduğunu kendisi söylemek istiyor.

Kocam içkiyi fazla kaçırdığımı ve biraz sakinleşmem gerektiğini belirtiyor.

Katedralin önünden geçiyoruz. Şehrin üstüne yine sis çökmüş ve her şey korku filmlerini andırıyor. Fransızlarla devamlı savaş halindeki Ortaçağ Cenevre'sindeki gibi, Marianne'ın bir köşenin ardında elinde bir hançerle beni beklediğini hayal ediyorum.

Ne soğuk hava ne de yürümek beni sakinleştiriyor. Arabaya biniyoruz ve eve gelince doğrudan yatak odasına gidip iki Valium yutuyorum, bu esnada kocamsa dadının parasını ödeyip çocukları yatırıyor.

Aralıksız on saat boyunca uyuyorum. Ertesi gün uyandığımda kocamı her zamankinden daha az sevecen buluyorum. Aradaki değişim fark edilmeyecek kadar az olsa da önceki gece bir şeyden dolayı huzurunun kaçtığını anlıyorum. Ne yapmam gerektiğini bilmiyorum, hayatımda hiç tek seferde iki tane sakinleştirici almamıştım. Tuhaf bir uyuşukluğa kapılmış haldeyim, yalnızlıkla mutsuzluğun yol açtığından tamamen farklı bir uyuşukluk bu.

İşe gitmek için evden çıkınca düşünmeksizin ceptelefonuma bakıyorum. Jacob'dan bir mesaj var. Açmakta tereddüt ediyorum ama nefretim merakıma yenik düşüyor.

Bu sabah erken bir saatte gönderilmiş.

"Her şeyi mahvettin. Karım aramızda bir şey olduğundan hiç şüphelenmiyordu; ama artık biliyor. Tuzağa düşmesine düştün ama tuzağı kuran o değildi."

Kahrolası süpermarkete gidip ev için alışveriş yapmam gerekiyor, tipik sevgisiz kalmış kırgın kadınlardan hiçbir farkım kalmadı. Marianne haklıydı: Ben alçak kadının biriyim; oynaşmaktan başka işe yaramıyorum, ayakucunda uyuyan aptal bir köpek bile benden daha değerlidir. Arabayı tehlikeli biçimde kullanıyorum çünkü durmadan ağlıyorum ve gözyaşlarım yoldaki arabaları görmemi engelliyor. Kulağıma korna sesleri, bağırışlar geliyor; yavaşlamaya çalışıyorum ama kornalar ve bağırışlar artıyor.

Marianne'ın içine şüphe düşürmem aptallıktı ama asıl aptallığı her şeyimi –kocamı, ailemi, işimi– tehlikeye atarak ettim.

Aldığım iki sakinleştirici bir türlü etki etmediği ve sinirlerim darmadağın halde araba kullandığım için şimdi de kendi hayatımı tehlikeye atıyorum. Yan sokaklardan birine park edip içinden çıkmadan ağlamayı sürdürüyorum. Öyle yüksek sesle hıçkırıyorum ki yoldan geçen biri yaklaşıp yardım isteyip istemediğimi soruyor. İstemediğimi söyleyince yanımdan uzaklaşıyor. Oysa aslında yardıma ihtiyacım var – hem de çok. İçime kapanıyor, benliğimi kaplayan çamur deryasına dalıyorum; ama yüzmekte zorlanıyorum.

Nefretimden çatlamak üzereyim. Jacob'un dünkü akşam yemeğinin ardından ayıldığını ve beni bir daha asla görmek istemeyeceğini düşünüyorum. Suç benim kendi sınırlarımı aşmak istedim, herkesin benden kuşkulandığını sandım. Onu arayıp özür dilesem iyi ederim ama telefonunu açmayacağına eminim. Kocamı arayıp hatırını sorsam daha iyi olmaz mı? Sesini tanırım, kendine hâkim olmasını iyi bilse de aksi ve gerginse hemen anlarım. Ama şu anda umurumda değil. Çok korkuyorum. Midem büzüşüyor, ellerim direksiyonu sımsıkı kavrıyor ve bas bas bağırarak ağlıyorum, dünyada kendimi güvende hissettiğim tek yerde, yani arabamda, ortalığı birbirine katıyorum. Biraz önce yanıma gelen kişi şimdi bana uzaktan bakıyor, herhalde saçma bir şey yapacağımdan korkuyor. Hayır, bir şey yapacağım yok. Tek istediğim ağlamak. Çok şey mi istiyorum?

Kendi kendimi suistimal ettiğimi hissediyorum. Geri dönmek istiyorum ama bu imkânsız. Kaybettiğim alanı geri kazanmak için bir plan yapmak istiyorum ama düşüncelerimi toparlayamıyorum. Elimden sadece ağlamak, utanmak ve nefret etmek geliyor.

Nasıl böyle saflık edebildim? Marianne'ın bana bakıp kendi kafamdaki şeyleri söylediğini nasıl düşünebildim? Suçluluk duyduğum için. Onu kocasının önünde aşağılamak, mahvetmek istedim, sırf Jacob benim eğlencelik bir kadından daha fazlası olduğumu görsün diye. Ona âşık olmasam da Jacob'un sayesinde, yitirdiğim mutluluğu yavaş yavaş geri kazanıyor ve gırtlağıma kadar battığımı düşündüğüm yalnızlık çukurundan uzaklaşıyordum. Şimdiyse bugünlerin ebediyen geride kaldığını anlıyorum. Gerçek dünyaya dönmem lazım; süpermarkete, birbirinin aynı günlere –eskiden müthiş önem versem de artık benim için bir hapishaneye dönüşen– evimin güvenli ortamına. Kırık parçalarımı toparlamam lazım. Belki de bütün bu olanları kocama itiraf etmeliyim.

Beni anlayışla karşılayacağına eminim. İyi kalpli, akıllı bir adamdır, hayatta daima ailesine öncelik verir. Peki ya anlayışla karşılamazsa? Yeter, bıçak kemiğe dayandı derse, daha dün depresyondan şikâyet ederken bugün çıkıp sevgilisi tarafından terk edildiğine dövünen bir kadınla yaşamaktan bıktığını söylerse?

Hıçkırıklarım azalıyor ve düşünmeye başlıyorum. Birazdan işyerinde olmam gerekiyor, benim dünyam çaresizce yıkılırken insanların varlığıma aldırış etmeden yanımdan geçip gittikleri, mutlu çiftlerin evleriyle dolu, kimi kapılara Noel süsleri asılmış bu sokakta bütün günümü harcayamam.

İyice düşünmem lazım. Önceliklerimin listesini çıkarmalıyım. Acaba önümüzdeki günlerde, aylarda ve yıllarda da kendisini ailesine adamış bir kadın numarası yapmayı sürdürerek yaralı bir hayvandan farksız olduğumu gizleyebilecek miyim? Disiplin konusunda hiç iddialı değilimdir ama böyle dengesiz davranmaya devam edemem.

Gözyaşlarımı silip önüme bakıyorum. Arabayı çalıştırmamın vakti geldi mi? Henüz gelmedi. Biraz daha bekliyorum. Bu olanlardan çıkarabildiğim tek sevindirici sonuç, hayatımı yalancıktan yaşamaktan bıktığımı anlamam. Kocam bu hallerimi hiç fark etmiyor mu? Acaba erkekler kadınların orgazm taklidi yaptığını fark ederler mi? Edebilirler; ama bunu bilmem mümkün değil.

Arabadan çıkıp parkmetreye gereğinden fazla para atıyorum, böylece süreyi dert etmeden başıboş gezebilirim. İşyerimi arayıp yavan bir mazeret sunuyorum: Çocuklarımdan biri ishal olmuş, doktora götürmem lazım. Şefim buna inanıyor, ne de olsa İsviçreliler yalan söylemez.

Ama ben söylerim. Son zamanlarda her gün yalan söyledim. Kendime saygım kalmadı, ne yaptığımı bilmiyorum artık. İsviçreliler gerçek dünyada yaşarlar. Bense bir hayal dünyasında yaşıyorum. İsviçreliler dertlerini çözmesini bilirler. Bense kendi dertlerimi çözmek şöyle dursun, üstüne bir de ideal ailemle kusursuz sevgilimin kesiştiği bir durum yarattım.

* * *

Turistik mekânlar hariç bütün işletmelerin 1950'lerde takılı kaldığı ve modernleşmeye hiç tenezzül etmediği sevgili şehrimde yürüyorum. Hava soğuk ama Tanrı'ya şükür rüzgâr esmiyor, esse dışarıda zor durulur. Hem kafam dağılır hem de biraz sakinleşirim diye bir kitapçıya, bir kasaba ve bir butiğe giriyorum. Dükkânlardan her çıkışımda dışarıdaki soğuğun içimde yükselen ateşi biraz olsun dindirdiğini hissediyorum.

Doğru erkeği sevmeyi öğrenmek mümkün müdür? Elbette mümkündür. Esas mesele, yoldan geçerken kapıyı açık görüp izinsiz içeri giren yanlış erkeği unutabilmektir.

Jacob'dan tam olarak ne umuyordum? İlişkimizin yürümeyeceğini başından beri bilsem de böylesine aşağılayıcı bir biçimde biteceği hiç aklıma gelmezdi. Belki de sadece onunla birlikteyken elde ettiklerimi istiyordum; macerayı ve mutluluğu. Ya da belki daha fazlasını istiyordum – onunla beraber yaşamayı, kariyerinde yükselmesine yardımcı olmayı, karısından bulamadığı belli olan desteği, ilk buluşmalarımızdan birinde eksikliğinden yakındığı şefkati ona vermeyi. Onu, başkasının bahçesinden çiçek koparır gibi evinden koparmayı ve kendi arazime dikmeyi istiyordum, böyle davranılan çiçeklerin fazla dayanmadığını bilsem de.

İçimde bir kıskançlık dalgası kabarıyor ama bu kez gözyaşı dökecek değilim, sadece öfkemi kusacağım. Yürümeyi bırakıp bir otobüs durağının bankına oturuyorum. İnen ve binen insanları izliyorum, hepsinin gözleri ve kulakları ceptelefonlarına yapışık, telefon ekranlarına sığacak kadar küçük dünyalarıyla meşguller.

Otobüsler gelip geçiyor. İnenler, belki de soğuktan dolayı, hızlı adımlarla yürümeye başlıyorlar. Binenlerse evlerine, işlerine, okullarına zorla gidermiş gibi ağır adımlarla yürüyorlar. Ama kimsenin yüzünde öfke veya sevinç yok, ne mutlular ne de mutsuz, kâinatın doğdukları gün kaderlerine biçtiği görevi düşünmeksizin yerine getiren acı çeken ruhlardan ibaretler.

Vakit geçtikçe biraz da olsa rahatlıyorum. İçimdeki yapbozun kimi parçalarını yerlerine koymayı başardım. Parçalardan biri de şu duraktaki otobüsler gibi gelip geçen nefretimin sebebi. Hayattaki en önemli varlığı, yani ailemi kaybetmiş olabilirim. Mutluluk uğruna verdiğim savaşta yenildim ve bu yüzden hem aşağılanmış hissediyorum hem de önümde uzanan yolu görmekte zorlanıyorum.

Peki ya kocam ne olacak? Bu akşam ona her şeyi samimiyetle itiraf etmem gerek. Benim için hoş sonuçlar doğurmasa da bunun beni özgürleştireceğini düşünüyorum. Kocama, şefime, kendime yalan söylemekten yoruldum.

Ama artık bunu düşünmek istemiyorum. En fazla da kıskançlık düşüncelerimi kemirip duruyor. Oturduğum otobüs durağından kalkamıyorum; çünkü vücudumun zincirlerle bağlı olduğunu keşfettim. Sürüklemesi zor, ağır zincirler bunlar.

Demek ki Marianne kocasıyla yataktayken sadakatsizlik öyküleri duymayı, kocasının benimleyken yaptığı şeyleri tekrarlamayı seviyormuş, öyle mi? Benden başka kadınların da olduğunu ilk sevişmemizde başucundan prezervatifi aldığında anlamalıydım. Beni kavrayışından anlamalıydım bir sürü kadından biri olduğumu. Defalarca o kahrolası otelden içimde bu hisle ayrılmış, kendi kendime onunla bir daha görüşmeyeceğimi söylemiştim – bunun da yalanlarımdan biri olduğunu elbette biliyordum, Jacob telefon etti mi, günü saati fark etmez, hemencecik hazır olurdum.

Evet, bütün bunların farkındaydım. Kendimi sadece seks ve macera peşinde olduğuma inandırmaya çalışıyordum. Ama bu doğru değildi. Uykusuz gecelerimde ve dalgın günlerimde ne kadar inkâr etmiş olsam da bugün fark ediyordum ki ben gerçekten âşıktım. Sırılsıklam âşıktım.

Ne yapacağımı bilmiyorum. Herhalde –herhaldesi yok, eminim– bütün evli insanlar gizliden gizliye birilerini arzular. Bu yasaktır ve yasaklarla cilveleşmek hayata anlam katar. Ama arzularını eyleme dökenlerin sayısı azdır: gazetede okuduğuma göre yedi kişide bir. Bana kalırsa yüz kişiden ancak biri benim gibi hayallerine kanma noktasına gelir. Çoğu kişi için saman alevinden öteye gitmez, uzun sürmeyeceği daha başından bellidir. Sevişmeyi daha şehvetli kılmak ve orgazm anında çığlık çığlığa "seni seviyorum"lar duymak için araya azıcık duygu katılır. O kadar.

Peki benim kocamın bir sevgilisi olsaydı ne yapardım? Yeri göğü birbirine katardım. Hayatın bana zalim davrandığını, beş para etmediğimi, yaşlandığımı söyleyerek ortalığı inletirdim, kıskançlığımdan –aslında onun var benim yok diye imrendiğimden– ağlar dururdum. Kapıyı vurup çıkar, çocuklarla ailemin evine taşınırdım. İki-üç ay sonra pişman olup dönmek için mazeret arar ve kocamın da bunu istediğini düşünürdüm. Dört ay sonra her şeye baştan başlamaktan duyduğum korku doruğa çıkardı. Beş ay sonra "çocukların iyiliği için" benzeri bir mazeretle eve dönmek istediğimi söyleyince çok geç kalmış olduğumu anlardım: Benden çok daha genç ve hayat dolu sevgilisi kocamın yanına taşınmış, yaşamına yeniden anlam katmış olurdu.

Telefonum çalıyor. Şefim oğlumun nasıl olduğunu soruyor. Otobüs durağında beklediğimi, sesini iyi duyamadığımı ama her şeyin yolunda olduğunu ve birazdan gazetede olacağımı söylüyorum.

Korkan insan asla gerçekleri göremez. Hayallerinin arasında gizlenmeyi yeğler. Bu halde bir saatten fazla kalamam, toparlanmam lazım. İşler beni bekliyor, belki çalışırsam iyi gelir.

Otobüs durağından ayrılıp arabama doğru yürüyorum. Yerdeki ölü yapraklara bakıyorum. Paris'te olsaydık yaprakların çoktan süpürüleceğini düşünüyorum. Oysa çok daha zengin bir şehir olan Cenevre'de yapraklar yerli yerinde duruyor.

Bir zamanlar bu yapraklar bir ağacın parçasıydılar, şimdiyse ağaç, kabuğuna çekilip bir mevsim boyunca dinlenecek. Acaba ağaç kendini örten, besleyen ve solumasını sağlayan o yeşil pelerini umursar mı? Hayır. Üzerinde yaşayan ve çiçeklerin polenini yayarak doğayı canlı tutan böcekleri umursar mı? Hayır. Ağaç sadece kendini düşünür: Kimi şeyler, örneğin yapraklar ve böcekler, gerektiğinde bir köşeye atılır.

Ben de şehrin sokaklarındaki şu yapraklardan biriyim; ebediyen yaşayacağını zannederken ne olduğunu anlamadan ölüveren, güneşi ve ayı seven, yanından geçen otobüsleri, gürültülü tramvayları izleyen, kimse incelik edip söylemediğinden kış diye bir mevsimin geleceğini bilmeyen yapraklar. Hayatın olabildiğince tadını çıkarıp bir gün sararırlar ve ağaç onlara veda eder.

Görüşürüz demez, elveda der; çünkü asla dönmeyeceklerini bilir. Yaprakları çabucak dallarından ayırsın ve onları uzaklara götürsün diye rüzgârdan yardım ister.

Ağaç ancak dinlendiğinde büyüdüğünü bilir. Büyüyüp geliştikçe saygı görür. Çiçekleri daha da güzelleşir.

* * *

Yeter. Çalışmak artık benim için en iyi tedavi, gözyaşlarım tükenene dek ağladım, düşünmem gereken her şeyi düşündüm. Yine de dertlerimden kurtulmayı başaramadım.

Otomatik pilota geçerek arabamı park ettiğim sokağa geliyorum ve kırmızı mavi üniformalı polislerden birinin elindeki aletle arabamın plakasını taradığını görüyorum.

"Araç sizin mi?"

Evet.

İşini yapmaya devam, diyor. Hiçbir şey söylemiyorum. Taradığı plaka çoktan sisteme girdi, merkeze yollandı, işlemden geçirildikten sonra şeffaf pencereciklerinden polisin mütevazı arması görünen resmî zarflardan birine konup adresime gönderilecek. 100 franklık cezayı otuz gün içinde ödemem gerekecek; ama itiraz edip avukatlara 500 frank harcamayı da seçebilirim.

"Süreyi yirmi dakika aşmışsınız. Burada en fazla yarım saat kalınabiliyor."

Başımı evet anlamında sallamakla yetiniyorum. Adam şaşırıyor – durması için yalvarmıyorum, bir daha böyle bir şey yapmayacağıma dair sözler vermiyorum, uzaktan gördüğümde adımlarımı bile hızlandırmamıştım. Alıştığı tepkilerden hiçbirini vermedim.

Arabamın plakasını taradığı aletten süpermarkettekiler gibi bir fiş çıkıyor. Adam fişi –kötü hava koşullarına dayansın diye– plastik bir zarfa koyuyor ve sileceğe tutturmak için ön cama yöneliyor. Anahtarımın düğmesine basınca arabanın farları yanıp sönerek kapıların açıldığını haber veriyor.

Şakalaştığımı fark ediyor ama o da otomatik pilota bağlamış. Kilitlerin açılma sesini duyunca kendine gelip yanıma yaklaşıyor ve ceza fişini bana uzatıyor.

İkimiz de oradan mutlu ayrılıyoruz. O, şikâyetlere katlanmak zorunda kalmadığı için mutlu; bense hak ettiğimi az da olsa aldığım, yani cezalandırıldığım için.

Kocam müthiş bir iradeye mi sahip, yoksa sahiden olanlara önem vermiyor mu, bilmiyorum – ama yakında öğreneceğim.

Dünyanın en önemsiz olaylarını araştırdığım bir işgününün ardından gecikmeden eve dönüyorum: Pilot eğitimi, piyasadaki Noel ağacı fazlası, hemzemin geçitlere konan elektronik kumanda mekanizmaları. Böyle önemsiz araştırmalar yapmak beni müthiş mutlu etti çünkü bedenen ve aklen daha fazla düşünmeyi kaldıracak halde değildim.

Birlikte geçirdiğimiz binlerce akşamdan farksız bir akşammış gibi yemeği hazırlıyorum. Bir süre televizyon seyrediyoruz. Çocuklar bizden önce odalarına çıkıp tabletlerine ve gününe göre teröristleri veya askerleri öldürdükleri oyunlara dalıyorlar.

Tabakları bulaşık makinesine diziyorum. Kocam çocuklarımızı uyutmak için yukarı çıkıyor. Şu âna dek sadece işten güçten bahsettik. Hep böyleydi de ben mi fark etmemiştim, yoksa tuhaflığı bugüne mi özgü, bilemiyorum. Birazdan öğreneceğim.

Kocam üst kattayken ben de bu sene ilk kez şömineyi yakıyorum: Ateşi izlemek beni sakinleştiriyor. Kocamın itiraf edeceklerimi zaten bildiğini tahmin etsem de her türlü desteğe ihtiyacım var. İşte bu yüzden bir şarap açıyorum. Bir peynir tabağı hazırlıyorum. İlk yudumumu alıp bakışlarımı alevlere dikiyorum. Ne tedirginim ne de korkuyorum. Bu çifte hayat yetti artık. Biraz sonra yaşayacaklarımın sonucu ne olursa olsun bana iyi gelecek. Evliliğimiz sona erecekse böyle sona ersin: Güz mevsiminde, Noel gelmeden, şömineyi izleyip medeni insanlar gibi konuşarak.

Kocam yanıma dönüp yaptığım hazırlıkları gördüğünde soru sormuyor. Koltukta yanıma oturuyor ve gözlerini benim gibi ateşe dikiyor. Şarabını bitirince tazelemek için kadehine uzanıyorum ama elini kaldırarak daha fazla içmeyeceğini işaret ediyor.

Alakasız bir şey söylüyorum: Bugün hava sıfırın altına düştü. Başını evet anlamında sallıyor.

Belli ki ilk adımı benim atmam gerekecek.

Dün akşamki yemekte olanlardan dolayı gerçekten çok üzgünüm...

"Senin suçun değildi. Marianne çok tuhaf bir kadın. Lütfen, beni bir daha böyle buluşmalara çağırma."

Sesi sakin çıkıyor. Ama herkesin daha çocukken öğrendiği üzere en fena fırtınalardan önce esintinin durduğu ve her şeyin son derece normal göründüğü bir an yaşanır.

Konuyu kapamaya niyetim yok. Marianne, saklandığı modernlik ve açık fikirlilik maskesinin arkasında ne kadar kıskanç biri olduğunu gösterdi bile.

"Doğru. Kıskançlık bize, 'Başarmak için onca emek verdiğin her şeyi kaybedebilirsin,' der. Gözümüzü kör eder; bizi sevindiren şeyleri, mutlu anlarımızı ve bu anlarda kurduğumuz bağları görmez hale geliriz. Nefret nasıl olur da bir çiftin geçmişini tamamen silebilir?"

Benim gerekenleri söylemem için ortam hazırlıyor adeta. Konuşmayı sürdürüyor:

"Herkesin, 'Hayatım beklentilerimle tam olarak uyuşmuyor,' dediği günler vardır. Ama hayat sana kendisi için ne yaptığını sorsa ne cevap verirsin?"

Bu soru bana mı?

"Hayır. Kendimi sorguluyorum. Hayatta her şey emek ister. İnanmaktan vazgeçmemek gerekir. İşte bunun için önyargının duvarlarını yıkmalıyız ve bu yürek ister. Yürek sahibi olabilmek için korkuya hâkim olmak gerekir. Böyle uzar gider. Hayatımızla barışık olmalıyız. Hayatla aynı tarafta olduğumuzu unutmamalıyız. Hayat da iyileşmek ister. Ona yardım etmeliyiz!"

Kadehimi yeniden dolduruyorum. Kocam ateşi besliyor. Ne zaman cesaretimi toplayıp itiraf edebileceğim?

Kocamsa beni konuşturmaya niyetli görünmüyor.

"Hayal kurmak göründüğü kadar kolay değildir. Tam tersi. Tehlikeli hale gelebilir. Hayal kurduğumuzda güçlü enerjileri açığa çıkarırız ve hayatımızın gerçek anlamını, kendimizden, daha fazla gizlemeyi başaramayız. Hayal kurduğumuzda ödeyeceğimiz bedeli de seçmiş oluruz."

Şimdi harekete geçmeliyim. Ben geciktikçe ikimizin çekeceği ıstırap da artacak.

Kadehimi kaldırıp onunkine tokuşturuyorum ve bir konuda canımın çok sıkıldığını söylüyorum. Bu konuyu daha önceden de konuştuğumuzu, ona içimi döküp depresyondan korktuğumu anlattığımı hatırlatıyor. Bense başka bir şeyi kastettiğimi söylüyorum.

Sözümü kesip kendi düşüncesini açıklamaya devam ediyor:

"Hayallerinin peşinden koşmanın da bir bedeli vardır. Alışkanlıklarımızı terk etmemize, zorluklar atlatmamıza, hüsranlara vs. sebep olabilir. Lakin bu bedel ne kadar yüksek olursa olsun, hiçbir şey yaşamayan kişilerin ödedikleri kadar yüksek değildir. Çünkü hayatlarını yaşamayanlar bir gün dönüp geçmişlerine baktıklarında kendi yüreklerinin, 'Hayatımı boşa harcadım,' dediğini duyarlar."

Kocamın işimi kolaylaştırdığı söylenemez. Peki ya yüreğimiz bize bu saçmalıklardan öte daha sağlam, gerçek, sarsıcı bir şey söyleyemez mi?

Gülüyor.

"Sana duyduğum kıskançlığı kontrol etmeyi başardığım için çok mutluyum. Neden biliyor musun? Senin sevgine layık olabilmek için. Evliliğimiz, birlikteliğimiz için mücadele etmeliyim, çocuklarımızdan bağımsız bu. Seni seviyorum. Seninle daima birlikte olabilmek uğruna her şeyi, hem de her şeyi göze alırım. Ama bir gün gitmek istersen sana engel olamam. O gün gelip çatarsa benden ayrılıp mutluluğunun peşinden gitmek için serbestsin. Sana duyduğum sevgi her şeyden üstündür ve senin mutlu olmana asla engel olmam."

Gözlerim doluyor. Tam olarak neden bahsettiğini hâlâ anlayamadım. Kıskançlıktan mı bahsediyor, yoksa bana bir mesaj mı veriyor...

"Yalnız kalmaktan korkmuyorum," diye sürdürüyor anlatmayı. "Kendimi kandırmaktan, gerçekleri kendi kafama göre görmekten korkuyorum."

Elimi tutuyor.

"Sen benim için bir nimetsin. Dünyanın en iyi kocası ben olmayabilirim, ne de olsa hislerimi hiç göstermiyorum. Üstelik bunun eksikliğini duyduğunun farkındayım. Bu yüzden gözümde önemsizleştiğini sanıp güvenini kaybettiğini de biliyorum. Ama bu doğru değil. Şöminenin önüne daha sık oturup konuşmalıyız. Kıskançlık hariç her konudan konuşabiliriz çünkü kıskançlık beni ilgilendirmiyor. İkimiz baş başa seyahat etsek iyi gelmez mi dersin? Yeni yıla farklı bir şehirde girsek, bildiğimiz bir yer olsa dahi, iyi gelmez mi?"

Peki ya çocuklar?

"Dedelerinin torunlarıyla vakit geçirmeye can attığına eminim."

Ve sözünü tamamlıyor:

"İnsan sevince her şeye hazırlıklı olmalıdır. Sevgi, çocukluğumuzdaki çiçek dürbünlerine benzer. Sürekli hareket halindedir ve asla kendini tekrar etmez. Sevginin sadece bizleri mutlu etmek için var olduğunu anlamayan insanlar ebediyen acı çekmeye mahkûmdur. Bundan daha fena tek bir şey vardır, nedir biliyor musun? O kadın gibi, hep başkalarının kendi evliliği hakkında ne düşündüğünü merak eden insanlar. Bence bunun hiç önemi yok. Tek önemli olan senin ne düşündüğün."

Başımı omzuna dayıyorum. Söyleyeceklerim tamamen önemini yitirdi. Kocam her şeyin farkında ve olanları benim asla beceremeyeceğim bir olgunlukla karşılıyor.

"Çok basit: Finans sektöründe para kazanmak ya da kaybetmek, yasadışı bir şey yapmadığın sürece serbesttir."

Konuşan kodaman eskisi, halen dünyanın en zengin insanlarından biri havasında. Oysa sattıklarının hayalden ibaret olduğu büyük yatırımcılar tarafından anlaşılınca serveti bir seneden kısa bir sürede buharlaştı. Söyledikleri ilgimi çekmiş gibi davranmaya çalışıyorum. Ne de olsa strese karşı çözümler hakkındaki yazı dizisini sona erdirmeyi şefime ben söyledim.

Tam bir hafta önce Jacob bana mesaj gönderip her şeyi mahvettiğimi söyledi. Sokaklarda hüngür hüngür ağlayarak gezinmemin üzerinden bir hafta geçti, yakında evime gelecek trafik cezası da o günden bir anı olarak kalacak. Kocamla oturup konuşmamızın üzerinden bir hafta geçti.

"Fikrimizi nasıl satacağımızı bilmemiz lazım. Başarının yolu bundan geçer: arzuları satabilmek," diye konuşmayı sürdürüyor kodaman eskisi.

Canım benim, bütün böbürlenmelerine, ağırbaşlı havalarına ve bu lüks oteldeki havalı süitine rağmen; odanın nefis manzarasına, Londra'daki bir terzinin titiz ellerinden çıkan takım elbiselerine, yüzündeki gülümsemeye ve "doğal" görünsün diye birkaç tutamını beyaz bırakarak özenle boyadığın saçlarına; kendinden emin sözlerine ve davranışlarına rağmen senden çok daha iyi bildiğim bir şey var: İş fikir satmakla bitmez. Alacak birilerini de bulmak gerekir. Bu durum iş için de, siyaset için de, sevgi için de geçerlidir.

Herhalde neyi kastettiğimi anlıyorsundur, sevgili eski zengin: Senin elinde şemalar, yardımcılar, sunumlar olabilir... ama insanlar sonucu görmek ister.

Sevgi de sonucu görmek ister, halbuki herkes aksini söyler, sevme eyleminin kendi kendini doğruladığını iddia eder. Sahiden de öyle midir? Ben şu anda İngiliz Bahçesi'nde kocamın Rusya'dan getirdiği kürkle gezinirken sonbahar göğüne gülümseyerek bakıp, "Seviyorum ve bu her şeye yeter," diyebilirdim. Ama doğruyu söylemiş olur muydum?

Tabii ki olmazdım. Seviyorum ama karşılığında somut bir şeyler istiyorum – ele ele tutuşmak, öpüşmek, tutkuyla sevişmek, bir hayali paylaşmak, yeni bir aile kurmak, çocuklarımı eğitmek, sevdiğim kişiyle birlikte yaşlanmak.

"Attığımız her adımın hedefini iyi belirlemeliyiz," diye anlatıyor karşımdaki zavallı adam, dudaklarında kendince güven dolu bir gülümsemeyle.

Sanki yine delirmenin kıyısındayım. Duyduğum ve okuduğum her şeyi, bu gıcık adamla yaptığım sıkıcı röportajı dahi, duygusal halime bağlıyorum. Günde 24 saat bunu düşünüyorum – yolda yürürken, yemek yaparken, içimi rahatlatmak şöyle dursun, beni düşmekte olduğum uçurumun dibine daha da yaklaştıran şeyler dinlemeye kıymetli vaktimi harcarken.

"İyimserlik bulaşıcıdır..."

Kodaman eskisi bilmiyor, beni inandıracağına, söylediklerinin gazetede çıkacağına ve yeniden yükselişe geçeceğine öyle emin ki. Böyle insanlarla röportaj yapmak harikadır. Bir soru sorarız, bir saat konuşurlar. Kübalı şamanla konuşmalarımdan farklı olarak bu kez söylenen hiçbir şeye dikkat etmiyorum. Ses kayıt cihazım sayesinde adamın monoloğunu altı yüz sözcüklük bir yazıya, yani aşağı yukarı dört dakikalık bir konuşmaya indirgeyeceğim.

İyimserlik bulaşıcıymış!

Öyle olsaydı sevdiğimiz kişiye dudaklarımızda kocaman bir gülümsemeyle, aklımızdaysa planlar ve fikirlerle yanaşıp bütün paketi ona sunardık. İşe yarar mıydı? Hayır. Asıl bulaşıcı olan korkudur; ömrümüzün sonuna kadar bize eşlik edecek birini bulamamaktan duyduğumuz o geçmek bilmez korku. Bu korkunun yüzünden akıl almaz şeyler yaparız, yanlış kişiye evet, deriz ve tek doğru kişinin o olduğuna, karşımıza Tanrı tarafından çıkarıldığına kendi kendimizi inandırırız. Çok geçmeden güvenli bir yuva arayışı samimi bir sevgiye dönüşür, her şey daha çekilir hale gelir, böylece hislerimiz bir kutuya konup aklımızdaki bir dolabın dibine itilir ve sonsuza dek gözlerden uzak bir biçimde orada saklı kalır.

"Kimileri benim ülkenin çevresi en geniş insanlarından olduğumu söyler. İşadamlarını, siyasetçileri, sanayicileri tanırım. Şirketlerimin içinde bulunduğu durum yakında geçecek. Eskisinden çok daha güçlü döneceğim, göreceksin."

Benim de çevrem geniştir, onun tanıdığı türde bir sürü insan tanırım. Ama ben dönmeye hazırlanmak istemiyorum. "Çevremdeki" ilişkilerden birini medeni şekilde sona erdirmek istiyorum, o kadar.

Çünkü doğru düzgün bitirilmeyen şeylerin ardında hep açık bir kapı, keşfedilmemiş bir olasılık, her şeyin yine eskisi gibi olabileceğine dair bir ihtimal kalır. Böyle durumlara bayılan bir sürü insan tanısam da hayır, ben buna hiç alışık değilim.

Ne yapıyorum ben? Ekonomiyle sevgiyi mi karşılaştırıyorum? Finans dünyasıyla his dünyası arasında ilişki mi kurmaya çalışıyorum?

Jacob'dan bir haftadır haber almıyorum. Şömine başındaki akşamımızın ardından kocamla ilişkimin normale dönmesinin üzerinden de bir hafta geçti. Acaba ikimiz birlikte evliliğimizi yeniden ayağa kaldırmayı başarabilecek miyiz?

Ben bu senenin ilkbaharına kadar normal bir insandım. Bir gün bütün sahip olduklarımın aniden ortadan kaybolabileceğini anladım ve akıllı biri gibi tepki vermek yerine telaşa kapıldım. Bunun sonucunda uyuşuklaştım. Hissizleştim. Tepki vermekten ve değişmekten âciz hale geldim. Onca uykusuz gecenin, hayattan keyif almadığım onca günün ardından en korktuğum şeyi yaptım: Tehlikelere meydan okuyarak ters yöne gitmeyi seçtim. Dünyada bunu yapan tek kişi olmadığımı biliyorum, insanlar kendilerini yok etmeye meyillidirler. Şans eseri, ya da yaşam beni sınamak istediğinden, beni –hem gerçek hem mecazi anlamda– saçlarımdan kavrayan, üzerimde birikmiş tozu silkeleyen ve yeniden nefes almamı sağlayan biriyle karşılaştım.

Bunların hepsi yalan çıktı. Madde bağımlılarının uyuşturucu alınca hissettikleri türden bir mutluluk bu. Er ya da geç etkisi geçiyor ve umutsuzluk daha da artıyor.

Kodaman eskisi paradan bahsetmeye başlıyor. Bu konuda bir şey sormamış olmama aldırmadan anlatıyor. Fakirleşmediğini, yaşam tarzını onlarca yıl daha sürdürebileceğini dile getirmek için müthiş bir ihtiyaç duyuyor.

Burada kalmaya daha fazla dayanamayacağım. Röportaj verdiği için teşekkür edip kayıt cihazımı kapıyorum ve ceketime uzanıyorum.

Kodaman eskisi, "Bu akşam boş musun? Birer içki içip bu konuşmayı sonlandırabiliriz," diye teklifte bulunuyor.

Böyle durumlarla daha önce de karşılaştım. Sıklıkla başıma gelir. Madam König kabullenemese de güzelim ve akıllıyım, röportaj yaptığım bazı kişilere, normalde gazetecilere anlatmayacakları şeyleri anlattırmak için cazibemi kullanmışlığım vardır, tabii söyleyecekleri her şeyin gazetede çıkacağını da hatırlatırım. Ama şu erkekler yok mu... ah, şu erkekler! Zaaflarını gizlemek için mümkün olan olmayan her şeyi denerler, on sekiz yaşındaki kızlar bile onları zorlanmadan parmağında çevirebilir.

Daveti için teşekkür ediyorum ve akşama başka biriyle buluşacağımı söylüyorum. İçimden imparatorluğunun yıkılışı ve kendisi hakkında çıkan haberler hakkında son sevgilisinin ne tepki verdiğini sormak geçiyor. Ama cevabını tahmin edebiliyorum ve haber değeri taşımadığına eminim.

* * *

Dışarı çıkıp karşıdan karşıya geçiyorum ve biraz önce içinde yürüyüş yaptığımı hayal ettiğim İngiliz Bahçesi'nin yolunu tutuyorum. 31 Aralık Sokağı'nın köşesindeki geleneksel bir dondurmacıya uğruyorum. Bu sokağın adı hoşuma gider; çünkü bana hep bir yılın daha geçeceğini ve sonraki yıl için yine büyük sözler vereceğimi hatırlatır.

Fıstıklı çikolatalı bir dondurma sipariş ediyorum. Mendireğe kadar yürüyüp Cenevre'nin simgesine, yani gökyüzüne su fışkırtarak önümde damlacıklardan meydana gelen bir perde oluşturan dev fıskiyeye karşı dondurmamı bitiriyorum. Turistler fıskiyeye yaklaşıp fotoğraf çektiriyorlar ama hepsi karanlık çıkacak. Kartpostal satın alsalar daha kolay olmaz mı?

Dünyanın dört bir yanında birçok anıt gezmişimdir. İsimleri çoktan unutulsa da ebediyen güzelim atlarının tepesinde ufku izleyen azametli adamlar. Ellerindeki, artık okul kitaplarında bile anılmayan zaferleri simgeleyen, taçları ya da kılıçları havaya kaldıran kadınlar. İsmi tarihten çoktan silinmiş bir heykeltıraşa saatler ve günler boyunca poz vermeye zorlanarak masumiyetlerini kaybeden, taşa yontulmuş yalnız ve isimsiz çocuklar.

Aslında, birkaç istisnanın dışında, şehirlerin simgesi heykeller değil, beklenmedik şeylerdir. Eiffel bir fuar için çelikten bir kule inşa ettiğinde onun –Louvre Müzesi'ne, Zafer Takı'na ve heybetli bahçelere rağmen– Paris'in simgesi haline geleceğini hiç düşünmemiştir. New York'un simgesi bir elmadır. San Francisco'nun simgesi fazla kullanılmayan bir köprüdür. Lizbon kartpostallarınıysa Tejo Nehri'nin üstünden geçen başka bir köprü süsler. Barselona'nın en önemli simgesi inşası bitmemiş bir katedraldir.

Cenevre de diğerleri gibi bir şehirdir. Leman Gölü'yle Rhône Nehri tam burada buluşarak son derece güçlü bir akıntı meydana getirir. Suyun ortaya çıkardığı kuvvetten yararlanmak için (biz İsviçreliler yararlanma konusunda uzmanızdır) bir hidroelektrik santrali inşa etmişiz. Ama işçiler kapakçıkları kapayıp evlerine gittiklerinde suyun basıncı artmış ve türbinleri patlatmış.

Derken bir gün bir mühendisin aklına bir fikir gelmiş: Santralin yanına bir fıskiye yerleştirip suyun fazlasını oraya yönlendirmek.

Zamanla mühendisler soruna başka çözümler bulmuşlar ve fıskiyeye gerek kalmamış. Ama şehirde yapılan bir plebisit sonucunda kalmasına karar verilmiş. Şehirde zaten bir sürü fıskiye varmış ve bu, bir göletin ortasında kalıyormuş. Görünür hale getirmek için ne yapmak gerekirmiş?

İşte böylece anıtımız değişimlerden geçerek ortaya çıkmış. Kuvvetli pompalarla donatılarak saatte 200 kilometre hızla, saniyede 500 litre su fışkırtan bugünkü azametli halini almış. 10 bin metre yükseklikteki bir uçaktan dahi görülebildiği söylenir ve doğrudur da, bizzat gördüm. Özel bir ismi yoktur; Jet d'Eau (yani su fıskiyesi) diye anılır ve –onca atlı adam, cesur kadın ve yalnız çocuk heykeline rağmen– şehrimizin simgesidir.

Bir seferinde İsviçreli bir bilimci olan Denise'e Jet d'Eau hakkındaki düşüncesini sormuştum.

"Vücudumuzun neredeyse tamamı sudur, bilgileri taşıyan elektrik boşalımları bu suyun içinden geçer. Sevgi de bu bilgilerden biridir ve bütün bünyeye etki edebilir. Sevgi devamlı değişir. Bence Cenevre'nin simgesi, sevgi uğruna dikilen, sanatın ortaya koyduğu anıtların en güzelidir; çünkü asla kendini tekrarlamaz."

Ceptelefonumu alıp Jacob'un ofisini arıyorum. Evet, onu doğrudan da arayabilirdim ama istemiyorum. Yardımcısıyla konuşup Jacob'la görüşmek üzere yolda olduğumu söylüyorum.

Yardımcısı sesimi tanıyor. Kendisi buluşmayı onaylayana dek hatta kalmamı rica ediyor. Bir dakika sonra dönüp özür dileyerek Jacob'un ajandasının dolu olduğunu ama belki gelecek senenin başında görüşebileceğimi söylüyor. Bunun mümkün olmadığını, Jacob'la derhal görüşmem gerektiğini, acil bir konu olduğunu söylüyorum.

"Acil bir konu" kalıbının işe yaramadığı durum çoktur ama bu kez şansımın yaver gideceğine eminim. Yardımcının bu defa bana dönmesi iki dakika sürüyor. Gelecek haftanın başına uygun olup olmadığımı soruyor. Yirmi dakika sonra orada olacağımı söylüyorum.

Teşekkür edip telefonu kapıyorum.

Jacob çabucak giyinmemi söylüyor – ne de olsa ofisi kamuya, eyaletin bütçesine bağlı ve bu yaptığı ortaya çıkarsa hapse girebilir. İnce süslemeli ahşap panellerle kaplı duvarları ve tavandaki güzelim kartonpiyerleri dikkatle inceliyorum. Yılların yıprattığı deri koltukta hâlâ çırılçıplak uzanmaktayım.

Jacob'un huzursuzluğu giderek büyüyor. Ceketini ve kravatını kuşanmış, endişeyle saatine bakıyor. Öğle tatili geçti gitti. Özel kalemi yemekten dönüp hafifçe kapısını vurunca "toplantıdayım" cevabını işitti ve ısrar etmedi. O zamandan beri kırk dakika geçti – herhalde birkaç buluşma ve toplantı iptal edilmiştir.

Ofisine geldiğimde Jacob beni yanaklarımdan üç kez öperek selamladı ve oturmam için resmî bir tavırla masasının önündeki koltuklardan birini işaret etti. Ne kadar korku içinde olduğunu kadın olmasam dahi hissedebilirdim. Buluşmamızın sebebi neydi? Parlamento tatili yakında biteceğinden bir sürü işle uğraştığını ve ajandasının dolu olduğunu anlayamıyor muydum? Karısı artık aramızda bir şeyler olduğuna emindi, gönderdiği mesajı okumamış mıydım? Ortalık dinene kadar beklememiz ve görüşmekten kaçınmamız gerekiyordu.

"Elbette her şeyi reddettim. İma ettiği şeyler beni

hayrete düşürmüş gibi yaptım. Haysiyetimi zedelediğini söyledim. Bana duyduğu güvensizliğin artık canıma tak ettiğini, hiçbir şey yapmadığımı, istediğine sorabileceğini söyledim. Kıskançlığın kendini aşağı gören insanlara özgü olduğunu kendisi söylememiş miydi? Bütün bunları anlatıp durdum ama Marianne ne desin: 'Aptallık etmeyi bırak. Şikâyet falan ettiğim yok, sadece son zamanlarda neden böylesine uysallaşıp nazikleştiğini keşfettiğimi söyledim. Demek ki...'"

Jacob'un lafını bitirmesine izin vermedim. Yerimden kalkıp yakasına yapıştım. Vuracağımı sandı. Ama vurmak yerine onu uzun uzun öptüm. Jacob'un kafası allak bullak oldu; çünkü oraya çıngar çıkarmak için gittiğimi düşünmüştü. Ağzını, boynunu öperken bir yandan da kravatını çözdüm.

Beni itti. Suratına tokadı yapıştırdım.

"Kapıyı kilitleyip hemen döneceğim. Ben de seni özledim."

XIX. yüzyıldan kalma şık mobilyalarla döşenmiş ofisini boydan boya geçip kapıyı kilitledi ve yanıma döndüğünde –külotum hariç– neredeyse bütün giysilerimi çıkarmıştım.

Ben giysilerini sökercesine çıkarırken Jacob da göğüslerimi emmeye başladı. Zevkle inlediğimde ağzımı eliyle kapadı ama başımı sallayıp usulca inlemeye devam ettim.

Benim itibarımın da lekelenmesi söz konusu, herhalde farkındasındır. Hiç kaygılanma.

Konuştuğum tek an bu oldu. Ardından hemen dizüstü çöküp onu emmeye başladım. Hep yaptığı gibi başımı tutup ritmi ayarladı – hızlandı, giderek hızlandı. Oysa ben ağzıma gelmesini istemiyordum. Onu iterek kendimden uzaklaştırdım ve deri koltuğa uzanıp bacaklarımı ayırdım. Eğilip oramı yalamaya başladı. İlk orgazmımda çığlık atmamak için kendi elimi ısırdım. İçimde zevk dalgaları yükselirken elimi ısırmaya devam ettim.

Sonra ismini telaffuz ettim, içime girmesini, ne istiyorsa yapmasını söyledim. İçime girdi ve beni omuzlarımdan kavrayarak vahşi bir hayvan gibi silkeledi. Daha derine girebilmek için bacaklarımı omuzlarıma yaklaştırdı. Gidiş gelişleri hızlanmaya başladı ama henüz gelmemesini emrettim. Evire çevire becerilmeye ihtiyacım vardı.

Beni koltuktan yere indirip köpek gibi dört ayak üstüne dikti, sonra da şaplağı yapıştırıp yeniden içime girdi, ben de bu sırada belimi çılgınca kıvırıyordum. İnlemelerinin boğuklaştığını duyunca gelmek üzere olduğunu, kendini daha fazla tutamayacağını anladım. Onu hemen içimden çıkarıp önümü döndüm ve yeniden girmesini emrettim, gözlerime bakmasını, bana her sevişmemizdeki gibi ayıp şeyler söylemesini istedim. Kadınların erkeklere söyleyebileceği en ayıp şeyleri söyledim. O ise alçak sesle ismimi tekrarlıyor, onu sevdiğimi söylememi istiyordu. Bense sadece küfrediyor, bana aşağılık bir fahişeymişim, kölesiymişim, saygısını hak etmiyormuşum gibi davranmasını istiyordum.

Vücudum baştan aşağı ürpermişti. Zevk, içimde dalga dalga yükseliyordu. Yeniden geldim ve ardından bir kez daha geldim, bu sırada Jacob da gelmemek için kendine hâkim oluyordu. Vücutlarımız şiddetle birbirine çarpmaktaydı ama bu gürültülerin kapının ardından duyulma ihtimali Jacob'un umurunda değildi artık.

Gözlerimizin kenetlenmesinden ve her gidiş gelişinde ismimi tekrarlamasından biraz sonra geleceğini anladım ve prezervatifsiz olduğunu hatırladım. Yeniden durup onu içimden çıkardım ve yüzüme, ağzıma gelmesini ve beni sevdiğini söylemesini emrettim.

Jacob aynen emrettiklerimi yaptı, ben de bu sırada

kendimle oynayıp onunla birlikte geldim. Sonra bana sarılıp başını omzuma dayadı, dudaklarımın kenarlarını elleriyle sildi ve beni sevdiğini ve çok özlediğini defalarca tekrarlayıp durdu.

Şimdiyse kalkmış giyinmemi söylüyor; ama ben yerimden kımıldamıyorum. Yine seçmenlerin bayıldığı uslu delikanlıya dönüştü. Bir şeylerin yolunda gitmediğinin farkında ama ne olduğunu bilemiyor. Oraya sırf kendisiyle sevişmek uğruna gitmediğimi anlamaya başlıyor.

"Ne istiyorsun?"

Son noktayı koymak istiyorum. Kalbim paramparça olsa da, duygusal açıdan mahvolsam da ilişkimize son vermek istiyorum. Gözlerinin içine bakıp her şeyin bittiğini söylemek istiyorum. Yeter artık.

Geçtiğimiz haftayı katlanılmaz acılar çekerek geçirdim. Tükenmiş gözyaşlarımı akıttım ve kendi düşüncelerimde kayboldum; karısının çalıştığı üniversiteye götürülerek zorla oradaki akıl hastanesine kapatıldığımı hayal ettim. İş ve annelik hariç her alanda başarısız olduğumu zannettim. Attığım her adımda hayattan bir adım daha uzaklaşıp ölüme yaklaştığımı hissettim; hâlâ geleceğe umutla bakan iki genç olsaydık Jacob'la neler neler yaşayacağımızı hayal ettim. Ama bir an geldi ki çaresizliğimin sınırına dayandığımı, daha derinlere inemeyeceğimi anladım ve yukarı baktığımda bana elini uzatan tek bir kişi gördüm: kocam.

O da benden şüphelenmişti ama sevgisi şüphesine üstün gelmişti. Ona karşı dürüst olmaya, sırtımdaki yükü hafifletebilmek için her şeyi itiraf etmeye çalışsam da buna gerek kalmamıştı. Hayatta yaptığım seçimler nasıl olursa olsun daima yanımda olacağını ve yükümü hafifleteceğini göstermişti bana.

Kocamın beni suçlamadığı konularda kendi kendimi suçladığımı fark ettim. Kendi kendime, "Ben böyle iyi bir adama layık değilim, o benim aslında nasıl biri olduğumu bilmiyor," diyordum.

Oysa bal gibi de biliyordu. Kendime yeniden saygı ve sevgi duymamı sağlayan da bu oldu. Benden ayrılır ayrılmaz başka birini bulmakta zorlanmayacak kocam gibi bir erkeğin her şeye rağmen yanımda kalmak istediğini, yani bir değerim olduğunu, hatta çok değerli olduğumu gördüm.

Onunla aynı yatakta kendimi kirli hissetmeden ve onu aldattığımı düşünmeden, huzurla uyuyabileceğimi keşfettim. Sevildiğimi ve bu sevgiyi hak ettiğimi hissettim.

Ayağa kalkıp giysilerimi toparlıyorum ve ofisinin içindeki tuvalete gidiyorum. Jacob beni bir daha çıplak görmeyeceğini iyi biliyor.

Tuvaletten çıkınca önümüzde uzun bir iyileşme sürecinin bulunduğunu söylüyorum. Herhalde o da benimle aynı şeyi hissediyordur; Marianne'ın bu maceranın bitmesini arzuladığına şüphem yok, kocasını eskisi gibi sevgiyle ve güvenle kucaklamak istiyordur.

"Evet ama bana bir şey söylemedi. Olanları anlayınca aramıza daha da fazla mesafe koydu. Zaten şefkat dolu biri değilken iyice robotlaştı ve kendini işine adadı. Onun kaçış yolu da bu."

Eteğimi düzeltip ayakkabılarımı giydikten sonra çantamdan çıkardığım bir paketi masasının üstüne bırakıyorum.

"Bu nedir?"

Kokain.

"Senin böyle şeylerle haşır neşir olduğunu hiç bilmezdim..."

Bilmene de gerek yok zaten, diye aklımdan geçiriyorum. Bir zamanlar sırılsıklam âşık olduğum adamın uğruna neleri göze aldığımı bilmesine gerek yok. Hâlâ âşığım ama tutkumun alevi her geçen gün zayıflıyor. Yakında tamamen söneceğine eminim. Bütün ayrılıklar insana acı verir ve acıyı vücudumun her yanında hissedebiliyorum. Jacob'la son baş başa buluşmamız bu oluyor. Davetlerde, kokteyllerde, seçimlerde ve basın toplantılarında yeniden görüşeceğiz; ama bugünkü gibi bir şey asla tekrarlanmayacak. İlişkimizi tıpkı başladığımızdaki gibi, çılgınca sevişip kenetlenerek bitirmek harika oldu. Ben bunun son sevişmemiz olduğunu biliyordum; Jacob ise bilmiyordu, zaten bilse de elinden bir şey gelmezdi.

"Ne yapayım bununla?"

Çöpe at. Bana küçük bir servete mal oldu ama çöpe atabilirsin. Böylece beni bağımlılığımdan kurtarmış olursun.

Neye bağımlı olduğumu açıkça söylemiyor;um. Oysa bağımlılığımın bir ismi var: Jacob König.

Yüzündeki şaşkın ifadeyi görünce gülümsüyorum. Yanaklarından üç kez öperek vedalaşıyorum ve odasından çıkıyorum. Odasının önünde yardımcısına dönüp el sallıyorum. Bakışlarını kaçırıp önündeki kâğıt yığınına dalmış numarası yapıyor ve homurdanarak veda ediyor.

Sokağa çıkınca kocamı arayıp yılbaşını çocuklarla birlikte evde geçirmeyi tercih ettiğimi söylüyorum. Ama istiyorsa Noel tatilinde seyahat edebiliriz.

"Akşam yemeğinden önce biraz yürüyüş yapalım mı?"

Başımı evet anlamında sallasam da yerimden kımıldamıyorum. Bakışlarımı otelin karşısındaki parktan ve parkın ötesindeki, akşamüstü güneşiyle aydınlanan, yıl boyu karla kaplı Jungfrau Dağı'ndan ayırmıyorum.

İnsan beyni müthiş bir şeydir: Bir kokuyu tekrar koklayana dek unutabiliriz, bir sesi tekrar duyana dek aklımızdan silebiliriz, hatta sonsuza dek derinlere gömdüğümüzü sandığımız duygular bile aynı mekâna döndüğümüzde canlanabilir.

Zamanda yolculuk ederek Interlaken'a ilk geldiğimiz günlere dönüyorum. O zaman ucuz bir otelde kalıp göllerin arasında yürüyüşler yapmış ve her seferinde yeni yollar keşfettiğimizi düşünmüştük. Kocam büyük bölümü dağlardan geçen çılgın bir maratona katılmıştı. Maceraperestliği, imkânsızı başarma arzusu, bedeninin sınırlarını zorlayışı içimi gururla doldurmuştu.

Bu çılgın maratona katılan bir tek kendisi değildi; dünyanın dört bir yanından insanlar gelip otelleri dolduruyor, herkes beş bin nüfuslu bu küçük şehrin barları ve restoranlarında kaynaşıyordu. Interlaken sonbaharda nasıldır hiç bilmiyorum; ama penceremden bakınca daha boş, daha uzak görünüyor.

Bu kez Interlaken'ın en iyi otelinde kalıyoruz. Harika bir süit tuttuk. Masanın üstünde otel müdürünün bir şişe şampanya eşliğinde bize bıraktığı hoş geldiniz kartı var, tabii şişeyi çoktan boşalttık.

Kocam bana sesleniyor. Gerçek dünyaya dönüyorum ve hava kararmadan önce biraz yürümek için dışarı çıkıyoruz.

* * *

İyi olup olmadığımı sorarsa yalan söyleyeceğim; çünkü neşesini kaçırmak istemiyorum. Oysa kalbimdeki yaralar kolay kolay kabuk tutacağa benzemiyor. Kocam ilk gelişimizde oturmuş kahvemizi içerken hippi özentisi bir yabancı çiftin yanımıza gelip para dilendiği bankı görüp hatırlıyor. Bir kilisenin önünden geçerken çanlar çalmaya başlayınca beni öpüyor, ben de hislerimi gizlemeye çabalayarak öpücüğüne karşılık veriyorum.

Hava soğuk olduğundan el ele tutuşmuyoruz – eldivenliyken el ele tutuşmaktan huylanırım. Hoş bir barda durup birkaç kadeh içiyoruz. Sonra da tren istasyonuna gidiyoruz. Kocam geçen sefer aldığı hatıra eşyasının aynısını satın alıyor – şehrin amblemiyle süslü bir çakmak. O zamanlar hem sigara içer hem de maratonlara katılırdı.

Şimdiyse sigara içmemesine rağmen nefes almakta her gün biraz daha zorlandığını söylüyor. Adımlarımızı hızlandırınca hep nefes nefese kalıyor ve gizlemeye çalışsa da Nyon'da göl kenarında koşarken normalden daha çabuk yorulduğunu fark ettim.

Telefonum titremeye başlıyor. Aleti bulana kadar çantamı alaşağı etmem gerekiyor. Sonunda elime aldığımda arayan vazgeçip kapıyor. Ekranda cevapsız arama olarak arkadaşımın ismini görüyorum, hani depresyonda olup da ilaçlar sayesinde yeniden mutluluğa kavuşan.

"Dönmek istersen bana uyar."

Neden dönmemizi istediğini soruyorum. Benimle beraber olmaktan memnun değil mi? Saatlerce telefonda geyik yapmaktan başka işi olmayan insanların esiri olmak mı istiyor?

O da bana sinirleniyor. Belki de önceden içtiğimiz şampanyanın üstüne biraz evvel devirdiğimiz iki konyağın etkisi bu. Kocamı sinirli görünce onun da hisleri olduğunu hatırlayarak sakinleşip rahatlıyorum.

Interlaken maraton olmayınca ne tuhaf bir şehre dönüşüyor, diyorum. Hayalet şehir gibi.

"Burada kayak pisti yok da ondan."

Olamazdı da zaten. Bir vadinin ortasındayız, iki yanımızda koca dağlar yükseliyor ve etrafımız göllerle çevrili.

Bara dönüyoruz ve iki cin söylüyor. Başka bir bara gitmemizi öneriyorum ama kocam soğuğu içerek yenmeye kararlı. Bunu uzun zamandır yapmamıştık.

"Aradan on sene geçtiğini biliyorum; ama buraya ilk gelişimizde gençtim. Hedeflerim vardı, açık alanlardan hoşlanırdım ve bilmediğim şeylerin karşısında korkuya kapılmazdım. Acaba o zamandan bu zamana çok değiştim mi?"

Daha otuzlu yaşlardasın. Kendini ihtiyar mı sandın?

Cevap vermiyor. İçkisini tek dikişte bitirip gözlerini boşluğa dikiyor. Kusursuz bir koca olmaktan uzak ve ne tuhaftır ki buna seviniyorum.

Bardan çıkıp otele dönüyoruz. Otelin içinde hoş ve şirin bir lokanta var ama biz başka bir yerde rezervasyon yaptırmıştık. Saat henüz çok erken – kapıdaki tabelada akşam yemeğinin saat yedide başladığı yazıyor.

"Birer cin daha içelim."

Kim bu yanımdaki adam? Acaba Interlaken yitik anılarını canlandırdı ve dehşet dolu saatler beni mi bekliyor?

Hiçbir şey söylemiyorum. Ve korkmaya başlıyorum. İtalyan lokantasındaki rezervasyonumuzu iptal edip yemeği burada yemeyi öneriyorum.

"Fark etmez."

Fark etmez mi? Yoksa depresyondayken benim hissettiklerimi şimdi de o mu hissediyor?

Bence "fark eder". Rezervasyon yaptırdığımız lokantaya gitmek istiyorum. Birbirimize aşkımızı ilk kez orada ilan etmiştik.

"Bu seyahat berbat bir fikirdi. Yarın dönmeyi tercih ederim. Niyetim gayet iyiydi: Aşkımızın başlangıcını yeniden yaşamak istemiştim. Ama bu mümkün mü? Kesinlikle değil. Biz olgunlaştık. Artık üstümüzde eskiden hissetmediğimiz bir baskıyla yaşıyoruz. Eğitim, sağlık ve beslenme gibi temel ihtiyaçlarımızı karşılamak zorundayız. Hafta sonları eğlenmenin yollarını arıyoruz; çünkü herkes böyle yapıyor ama canımız evden çıkmak istemediğinde bir şeylerin ters gittiğini düşünmeye başlıyoruz."

Benim canım asla bir şey yapmak istemiyor. Hiçbir şey yapmadan öylece durmayı yeğlerim.

"Ben de öyle. Peki çocuklarımız ne olacak? Onların arzuları bizimkinden farklı. Onları bilgisayarlarına gömülmüş halde bırakamayız. Henüz çok gençler. Bu yüzden onları zorla bir yerlere götürüyoruz, anne babalarımızın ailelerinden görüp bize yaptıklarını biz de aynen kendi çocuklarımıza yapıyoruz. *Normal* bir yaşam. Biz duygusal açıdan birbirine bağlı bir aileyiz. Birimizin başı sıkıştığında ötekiler ne pahasına olursa olsun daima yardıma hazırdır."

Anladım. Örneğin seninle, anılarla dolu bir yere seyahat ederler.

Bir cin daha. Kocam söylediğime cevap vermeden önce bir süre sessiz kalıyor.

"Aynen öyle. Ama sence anılar bugünü doldurmaya

yeter mi? Yetmez, tam tersi, anılar beni boğuyor. Artık farklı bir insan olduğumu keşfediyorum. Buraya gelip odadaki şampanyayı içene kadar her şey yolundaydı. Şimdiyse Interlaken'a ilk gelişimde hayalini kurduğum yaşamın çok uzağında olduğumun farkına varıyorum."

Hayalini kurduğu yaşam nasıldı peki?

"Saçma bir şeydi. Ama neticede hayalimdi. İsteseydim gerçekleştirebilirdim de."

Neydi, söylesene?

"O zamanlar sahip olduğum her şeyi satıp bir tekne satın almak ve seninle dünyayı dolaşmayı hayal ediyordum. Babam kendi yolundan gitmediğim için öfkeden delirse de umursamazdım. Liman liman gezebilir, arada sırada yaptığımız işler sayesinde yolumuzu bulup gezmeye kaldığımız yerden devam edebilirdik. Hayatımızda görmediğimiz insanlarla tanışabilir, turistik rehberlerde adı geçmeyen yerleri keşfedebilirdik. Macera. O zamanlar tek arzum buydu işte: *Ma-ce-ra.*"

Bir cin daha söyleyip hiç görmediğim bir süratle mideye indiriyor. Bense daha fazla içemiyorum, şimdiden midem bulanmaya başladı, bu saate kadar hiçbir şey yemedik. Kocama arzusunu gerçekleştirseydi dünyanın en mutlu kadını olacağımı söylemek isterdim. Ama sussam daha iyi olacak, yoksa daha da üzülebilir.

"Sonra ilk çocuğumuz doğdu."

Ne olmuş yani? Çocukları olmasına rağmen dünyayı tekneyle dolaşan milyonlarca çift vardır.

Bir süre düşünüyor.

"Milyonlarca yoktur. Binlerce olabilir."

Bakışları değişiyor; gözlerinden artık saldırganlık değil hüzün okunuyor.

"Bazen durup her şeyi, geçmişimizi ve bugünümüzü incelemeye başlarız. Neler öğrendiğimizi ve nerelerde hata yaptığımızı masaya yatırırız. Böyle anlardan hep korkmuşumdur. Hayatta doğru seçimleri yaptığımı ama biraz da fedakârlık etmek zorunda kaldığımı söyleyerek atlatırım böyle anları. Bir şey olmaz."

Bardan çıkıp biraz yürümeyi öneriyorum. Gözleri tuhaflaşmaya, parlaklığını kaybetmeye başlıyor.

Yumruğunu masaya vuruyor. Garson kadın korku içinde masamıza geldiğinde kendim için bir cin daha istiyorum. Ama kadın isteğimi geri çeviriyor. Birazdan akşam yemeği servisine başlayacakları için barın kapandığını söylüyor. Ardından da hesabımızı getiriyor.

Kocamın beklenmedik bir tepki vereceğini sanıyorum. Ama cüzdanını çıkarıp bar tezgâhına bir banknot fırlatıyor. Elimi tutuyor ve birlikte yine dışarının soğuğuna çıkıyoruz.

"Yapabilecekken yapmadıklarımı düşünmeye başlarsam bir kara deliğe kapılacağımdan korkuyorum..."

Bu hissi iyi bilirim. Hani içimi döktüğüm akşam lokantada bundan bahsetmiştik.

Söylediklerimi duymuyormuş gibi bir hali var.

"... derinlerden bir ses bana her şeyin anlamsız olduğunu söylüyor. Kâinat milyarlarca yıldır var ve sen öldükten sonra da var olmayı sürdürecek. Devasa bir muammanın mikroskobik bir parçacığının üzerinde yaşıyoruz ve çocukluğumuzdan beri sorduğumuz sorulara cevap bulamıyoruz: Başka gezegenlerde yaşam var mıdır? Tanrı iyi kalpliyse neden başkalarının acı çekmesine izin verir? Daha da fenası, zaman durmadan akıp gidiyor. Sıklıkla, sebepsiz yere, içimi müthiş bir korku kaplıyor. Bazen işyerindeyken, arabada giderken, çocukları yatırırken duyuyorum bu korkuyu. Sevgiyle karışık bir korkuyla çocuklarımıza bakıyor, onlara ne olacağını merak ediyorum. Yaşadığımız ülke bize güven ve huzur hissi veriyor ama geleceğimiz nasıl olacak?"

Evet, söylemek istediklerini anlıyorum. Herhalde böyle bizim gibi düşünen bir sürü insan vardır.

"Derken seni kahvaltıyı ya da akşam yemeğini hazırlarken görünce aklıma elli sene sonra, hatta belki daha bile yakında, birimizin yatakta yalnız kalacağını ve bir zamanlar mutlu günler geçirdiğimizi hatırlayarak her gece ağlayacağını düşünüyorum. Çocuklarımız büyüyüp uzaklara gitmiş olacaklar. Hayatta kalanımız hastalanacak, başkalarının iyiliğine muhtaç kalacak."

Susuyor ve konuşmadan yürüyoruz. Yolun ortasında bir yılbaşı partisinin reklam panosu duruyor. Kocam panoya sert bir tekme savuruyor. Yoldan geçen birkaç kişi dönüp bize bakıyor.

"Beni affet. Böyle şeyler söylemek istemezdim. Seni buraya kendini daha iyi hissedesin, günlük sıkıntılardan uzaklaşasın diye getirmiştim. Bütün suç içkinin."

Hayret içindeyim.

Etrafları boş bira kutularıyla çevrili kızlı erkekli bir grup gencin yanından geçiyoruz. Genelde ciddi ve çekingen bir tip olan kocam gençlere yaklaşıp onları birlikte içmeye davet ediyor.

Gençler korku içinde bakışıyorlar. Özür dileyerek araya giriyorum ve sarhoş olduğumuzu, bir damla daha içersek bir faciaya sebep olabileceğimizi söylüyorum. Kocamın koluna giriyorum ve yolumuza devam ediyoruz.

Böyle yapmayalı uzun zaman olmuştu! Koruyucu, yardımcı, sorun çözen rolü hep kocama düşmüştü. Bugünse kayıp düşmesin diye ben koluna giriyorum. Keyfi yine yerine gelmiş olacak ki hayatımda duymadığım bir şarkı söylemeye başlıyor – belki de bu yörenin şarkılarından biridir.

Kilisenin yanından geçerken çanlar yine çalıyor.

Bu iyiye işaret, diyorum.

"Çanları duyuyorum, Tanrı'dan bahsediyorlar. Ama Tanrı bizi dinliyor mu acaba? Daha otuzlu yaşların başındayken hayata küstük. Çocuklarımız da olmasaydı bütün bunların ne anlamı kalırdı?"

Bir şey diyecek oluyorum. Ama buna uygun bir cevabım yok. Birbirimize aşkımızı ilk kez ilan ettiğimiz lokantaya geliyoruz ve İsviçre'nin en güzel ve pahalı şehirlerinden birinde mum ışığında kasvetli bir akşam yemeği yiyoruz.

Uyandığımda havanın çoktan aydınlandığını görüyorum. Rüyasız ve deliksiz bir uyku çektim. Saatime bakıyorum: sabahın dokuzu.

Kocam hâlâ uyuyor. Banyoya gidip dişlerimi fırçalıyorum, sonra da oda servisini arayıp iki kişilik kahvaltı sipariş ediyorum. Sabahlığımı üzerime geçirip oda servisi gelene kadar vakit geçirmek için pencerenin önüne gidiyorum.

Pencereden bakar bakmaz gökyüzünün yamaç paraşütleriyle dolu olduğunu görüyorum! İnsanlar otelin karşısındaki parktan havalanıyorlar. Çoğu acemi olduğu için eğitmenleriyle birlikte uçuyorlar.

İnsan böyle bir çılgınlığı nasıl göze alabilir? Sıkıntımızdan kurtulmak için hayatımızı tehlikeye atacak seviyeye mi geldik acaba?

Bir yamaç paraşütü daha yere iniyor. Ardından bir tane daha. Arkadaşları gülümseyerek her şeyi filme kaydediyor. Tepeden manzaranın nasıl göründüğünü merak ediyorum, ne de olsa etrafımızdaki dağlar müthiş yüksek.

Bu insanların yaptığına imrensem de yamaçtan atlamaya asla cesaret edemeyeceğimi biliyorum.

Odanın kapısı çalıyor. Garson elinde gümüş bir tepsiyle içeri giriyor; tepside içinde gül bulunan bir vazo, (kocam için) kahve, (benim için) çay, birkaç kruvasan, kızarmış ekmek, çavdar ekmeği, çeşit çeşit reçel, yumurta, portakal suyu, yerel gazete ve başka birkaç tane daha hoş şey var.

Kocamı dudaklarına bir öpücük kondurarak uyandırıyorum. Bunu en son ne zaman yapmıştım, hatırlayamıyorum. Ürkerek gözlerini açsa da hemen gülümsüyor. Masaya oturup önümüzdeki birbirinden lezzetli yiyeceklerin tadını çıkarıyoruz. Dün içkiyi fazla kaçırdığımızdan bahsediyoruz.

"Sanırım buna ihtiyacım vardı. Ama sarhoşken söylediklerimi ciddiye alma lütfen. Balon patlayınca herkes korkar ama alt tarafı bir balon patlamıştır. Kimseye zararı yoktur."

Zaaflarını keşfettiğim için gayet memnun olduğumu söylemek istesem de gülümsemekle yetiniyorum ve kruvasanımı çiğnemeye devam ediyorum.

Kocam da yamaç paraşütlerini görüyor. Gözleri parıldıyor. Giyinip bu güzel sabahın keyfini çıkarmak için dışarı çıkıyoruz.

Resepsiyona uğruyoruz. Kocam otelden bugün ayrılacağımızı söylüyor ve bavullarımızı indirmelerini rica edip hesabı kapatıyor.

Emin misin? Yarın sabaha kadar kalamaz mıyız?

"Eminim. Geçmişe dönmenin mümkün olmadığını dün akşam anladım."

Otelden çıkmak için tavanı camla kaplı uzun avluyu boydan boya geçiyoruz. Broşürün birinde okuduğuma göre eskiden burada bir sokak varmış ama şimdi karşı kaldırımlarda bulunan iki binayı birleştirmişler. Belli ki kayak pisti olmasa bile turizm işleri iyi gidiyor.

Tam dışarı çıkmak üzereyken kocam kapının solunda duran otel görevlisine yanaşıp soruyor:

"Paraşütle nasıl atlayabiliriz?"

Atlayabilir miyiz? Benim hiç böyle bir niyetim yok.

Otel görevlisi kocama bir broşür uzatıyor. Bütün bilgiler orada.

"Peki tepeye nasıl çıkabiliriz?"

Otel görevlisi tepeye kadar çıkmaya gerek olmadığını söylüyor. Yol çok fenaymış. Arayıp anlaşırsak otelden alırlarmış.

Bu çok tehlikeli değil mi? Hayatta hiç böyle bir şey yapmamışken sıra sıra dağların arasından boşluğa atlanır mı hiç? Sorumluluk kime ait? Eğitmenler ve ekipmanları devlet tarafından denetleniyor mu?

"Hanımefendi, ben on senedir burada çalışıyorum. Yılda en az bir kez paraşütle atlarım. Bir kez olsun kaza geçiren görmedim."

Otel görevlisi gülümsüyor. Aynı cümleyi on senedir binlerce kez tekrarlamıştır herhalde.

"Gidelim mi?"

Ne? Neden tek başına gitmiyorsun?

"Gitmesine giderim. Sen de elinde fotoğraf makinesiyle aşağıda beni beklersin. Ama hayatımda bir kez olsun bu deneyimi yaşamak istiyorum, buna ihtiyacım var. Hep korkmuştum. Daha dün aynı eksene oturup kaldığımızdan, artık hiç sınırlarımızı zorlamadığımızdan bahsediyorduk. Bütün gece üzülüp durdum."

Biliyorum. Kocam otel görevlisine paraşüt merkezini arayıp bizim adımıza bir saat ayarlamasını rica ediyor.

"Sabahtan, yani şimdi mi, yoksa öğleden sonra mı olsun? Öğleden sonra olursa güneşin karlı dağların ardından batışını izleyebilirsiniz."

Şimdi olsun, diyorum.

"Bir kişi mi, iki mi?"

Şimdi olursa iki kişi. Yaptığım çılgınlığı düşünmeye vaktin kalsın istemiyorum. Şeytanlarım kapalı kaldıkları yerden çıkmasın, yükseklikten, bilinmeyenden, ölümden, yaşamdan, uç duygular yaşamaktan korkmayayım istiyorum. Şimdi yapmazsam asla yapmam.

"Yirmi dakikalık, yarım saatlik ve bir saatlik uçuş seçenekleri var."

On dakikalık uçuş var mı?

Yok.

"1350 metreden mi atlamak istersiniz, 1800 metreden mi?"

Caymak üzereyim. Bu bilgileri bilmesem de olurdu. Elbette olabildiğince alçaktan atlamak istiyorum.

"Sevgilim, yüksekliğin hiç önemi yok. Başımıza bir şey gelmeyeceğine eminim ama gelse bile tehlike aynı tehlike. 21 metreden, yani yedi katlı bir binanın tepesinden de düşsen sonuç aynı olacak."

Otel görevlisi gülüyor. Ben de hislerimi belli etmemek için gülüyorum. Amma safım, sahiden 500 metre ne fark ettirecek ki?

Otel görevlisi telefonu kaldırıp biriyle konuşmaya başlıyor.

"Sadece 1350 metreden atlayışta yer varmış."

Biraz önce duyduğum korku mu daha saçmaydı, yoksa şimdi hissettiğim rahatlama mı, karar veremiyorum. Aman ne güzel!

Bizi on dakika sonra otelin önünden alacaklar.

Kocam ve tanımadığım beş-altı kişiyle beraber uçurumun önünde, sıramı bekliyorum. Tepeye çıkarken oğullarımı ve anne babalarını kaybederlerse başlarına geleceklerі düşündüm. Sonradan öğrendim ki birlikte atlamayacakmışız.

Isı yalıtımlı özel paraşüt kıyafetlerimizi üstümüze geçirip kasklarımızı taktık. Kaska ne gerek var ki? Bin metreden yere çakılacaksam kafamı darbelerden korumanın ne anlamı var?

"Kask takmak zorunlu."

Harika. Kaskı kafama geçiriyorum – Cenevre sokaklarındaki bisikletlilere benziyorum. Bence son derece saçma bir uygulama ama tartışacak değilim.

Önüme bakıyorum: Uçurumla aramızda karla kaplı bir yükselti var. Atladıktan hemen sonra vazgeçersem oraya inip başladığım yere dönebilirim. Sonuna kadar gitmek zorunda değilim.

Uçaktan hiç korkmam. Hayatım boyunca defalarca uçağa binmişliğim vardır. Ama uçağın içindeyken duyduğumuz his paraşütle atlamadan önce duyduğumuzdan biraz farklı. Uçağın çelik bir koza gibi bizi koruyacağını zannediyoruz. Aradaki tek fark bu.

Sahiden de öyle mi? En azından kıt aerodinamik bilgimle öyle olduğunu zannediyorum.

Kendimi inandırmam lazım. Daha sağlam bir argümana ihtiyacım var.

Aklıma sağlam bir argüman geliyor: Uçak metalden yapılmıştır. Müthiş ağırdır. Üstelik içinde bavullar, insanlar, aletler, tonlarca patlayıcı yakıt taşır. Paraşütçü ise hafiftir, rüzgârın eşliğinde süzülerek iner, ağaçtan düşen bir yaprak gibi doğa yasalarına uyar. Böylesi aklıma yattı.

"Önce sen atlamak ister misin?"

Evet, isterim. Çünkü başıma bir şey gelirse haberin olur ve çocuklarımıza bakabilirsin. Gerçi beni böyle bir çılgınlığa sürüklediğin için suçluluk duyacaksın; ama olsun. Hem iyi günde hem kötü günde kocasını yalnız bırakmayan bir eş olarak hatırlanacağım.

"Hazırız, hanımefendi."

Sen eğitmen misin? Eğitmen olmak için fazla genç değil misin? Ben takım lideriyle atlamayı tercih ederim, ne de olsa ilk atlayışım.

"Ben on altı yaşımdan, yani yasal yaş sınırına ulaştığımdan beri atlıyorum. Beş seneden beri sadece buradan değil, dünyanın dört bir yanında bir sürü yerden atladım. Hiç endişelenmeyin, hanımefendi."

Eğitmenin bu ukala tavrı hiç hoşuma gitmiyor. Yaşça büyük olanlar korktuğunda saygı göstermek gerekir. Ayrıca herkese aynı şeyi söylediğine eminim.

"Biraz önceki talimatlarımı hatırlayın. Koşmaya başladığımızda sakın durmayın. Gerisini bana bırakın."

Talimatlar. Gören de talimatları beş dakikada ezberledik sanacak; alt tarafı tenezzül edip en büyük tehlikenin koşarken aniden durmak olduğunu anlattılar. Yere indiğimizdeyse ayaklarımızın sağlamca toprağa bastığını hissedene dek yürümemizi söylediler.

En büyük hayalim: Tekrar toprağa basabilmek. Kocamın yanına gidip en son kendisinin atlamasını, böylece benim başıma bir şey gelirse göreceğini söylüyorum.

"Fotoğraf makinesini yanımıza alalım mı?" diye soruyor eğitmen.

Fotoğraf makinesi yaklaşık altmış santim uzunluğundaki alüminyum bir çubuğun ucuna tutturuluyor. Hayır, istemem. Bunu sonradan başkalarına göstermek için yapmıyorum. Üstelik olur da telaşım geçerse manzarayı boş verip çekim yapmaya dalacağımı biliyorum. Böyle olduğumu genç bir kızken babam sayesinde öğrenmiştim: Birlikte Matterhorn'un eteklerinde yürüyüş yaparken habire fotoğraf çekmek için duruyordum. Sonunda babam sinirlenip şöyle demişti: "Bütün bu güzelliklerin ve azametin bir film karesine sığacağını mı sanıyorsun? Gördüklerini kalbine işle. Yaşadıklarını başkalarına göstermekten daha önemlidir bu."

Uçuş partnerim, yani yirmi birlik bilge, alüminyum kopçalarla bedenime ipler tutturmaya başlıyor. Oturağımı paraşüte bağlıyor; ben öndeyim, o arkada. Hâlâ vazgeçme şansım var; ama ne mümkün. Hiçbir tepki veremez haldeyim.

Pozisyon alıyoruz, yirmi birlik emektar eğitmen takım lideriyle rüzgâr hakkında konuşuyor.

Sonra o da iplerini oturağa tutturuyor. Nefesini ensemde hissedebiliyorum. Geriye baktığımda gördüklerim hoşuma gitmiyor: Beyaz karların üzerine sıra sıra serili renkli kumaşların ucuna insanlar tutturulmuş. En sondaysa başında bisikletçi kaskıyla kocam var. İstemese de sona kaldı herhalde, benden iki-üç dakika sonra atlayacak.

"Hazırız. Koşmaya başlayın."

Kımıldamıyorum.

"Hadi. Koşmaya başlayın."

Havalanınca dönüp durmak istemediğimi söylüyorum. Yavaş yavaş alçalsak benim için yeterlidir. Uçuşumuz beş dakika da sürse bana uyar.

"Havalandığımızda bakarız. Ama lütfen, insanlar sırada bekliyor. Artık atlamamız lazım."

İrademin yerinde yeller estiği için söylenenleri yapıyorum. Boşluğa doğru koşmaya başlıyorum.

"Hızlanın."

Hızlanıyorum, ayağımdaki ısı yalıtımlı botlarla karları etrafa saçarak koşuyorum. Aslında koşan ben değilim, sesli komutlara itaat eden bir robot. Çığlık atmaya başlıyorum – korktuğumdan ya da heyecanlandığımdan değil, içgüdülerim öyle emrettiğinden. Kübalı şamanın bahsettiği mağara devrindeki kadınlardan birine dönüştüm. Örümcekten, böcekten korkarız ve görünce çığlık atarız. Daima çığlık atarız.

Aniden ayaklarım yerden kesiliyor, bütün gücümle beni oturağa bağlayan kayışlara tutunuyorum ve çığlık atmayı bırakıyorum. Eğitmen birkaç saniye daha koştuktan sonra düz bir çizgi çizerek ilerlemeyi bırakıyoruz.

Artık hayatımıza rüzgâr yol veriyor.

* * *

İlk dakika boyunca gözlerimi kapalı tutuyorum – böyleyken yüksekliği, dağları, tehlikeyi hissetmiyorum. Evimde, mutfakta olduğumu, oğullarıma bu seyahatte başımıza gelen bir olayı anlattığımı, şehirden ya da otel odamızdan bahsettiğimi düşünmeye çalışıyorum. Babalarının zilzurna sarhoş olduğunu, hatta yatmadan önce yere yıkıldığını anlatmayacağım. Uçmayı göze aldığımı anlatmayacağım; çünkü kendileri de denemek isteyebilirler. Daha da fenası: Paraşütsüz uçmak isteyip evimizin birinci katından aşağı atlayabilirler.

Sonra birden ne kadar aptalca davrandığımı fark ediyorum: Gözlerimi kapalı tutacaksam burada ne işim var? Kimse beni atlamaya zorlamadı. "Senelerdir buradayım, kimsenin kaza geçirdiğini görmedim," demişti otel görevlisi.

Gözlerimi açıyorum.

Gördüklerimi, hissettiklerimi asla hakkını vererek aktarmam mümkün değil. İki gölü birbirine bağlayan vadi, ortasındaki şehirle birlikte aşağımızda uzanıyor. Uçuyorum, boşlukta özgürce süzülüyorum, hiçbir gürültü yok – çünkü rüzgâr tarafından taşınıyor, daireler çiziyoruz. Etrafımızdaki dağlar eskisi gibi azametli ve tehditkâr görünmüyor, güneşin altında pırıl pırıl beyazlar giyinmiş arkadaşlarımız gibiler artık.

Ellerimi gevşetip kayışları bırakıyorum ve kollarımı bir kuş gibi iki yana açıyorum. Arkamdaki eğitmen tavrımdaki değişikliği fark etmiş olacak ki alçalacağı yerde, önceden gözüme homojen bir atmosfer kütlesi olarak görünen gökyüzündeki görünmez sıcak hava akımlarını kullanarak yükselmeye başlıyor.

Önümüzde bir kartal beliriyor, o da kanatlarını akıl sır ermez bir biçimde kullanarak en ufak çaba göstermeden bizimle aynı okyanusta yol almakta. Nereye gidiyor? Yoksa sırf eğlenmek, hayatın ve çevredeki güzelliklerin tadını çıkarmak için mi uçuyor?

Kartalla adeta telepati kuruyorum. Eğitmen de onu takip ediyor, kartal bize rehberlik ediyor. Göklere yükselmek için nerelerden geçmemiz gerektiğini gösteriyor bize. O gün Nyon'da vücudum pes edene dek koşarken hissettiğim şeyi yeniden hissediyorum.

Ve kartal bana sesleniyor: Gel. Sen hem gökyüzüsün hem yeryüzü; hem rüzgârsın hem bulut; hem karsın hem de göller.

Adeta annemin rahmindeyim, tamamen güvende ve korunaklı olduğumu, her şeyi ilk defa tecrübe ettiğimi hissediyorum. Çok geçmeden doğacağım ve yeniden Yeryüzü'nde iki ayağı üstünde yürüyen insanlardan birine dönüşeceğim. Ama şu anda direnmeden bu rahmin içinde kalıyorum ve beni istediği yere götürmesine izin veriyorum.

Ben özgürüm.

Evet, özgürüm. Kartal haklı, dağlar ve göllerim ben. Geçmişim, şimdim ve geleceğim yok. İnsanların "sonsuzluk" adını verdikleri şeyi tecrübe ediyorum.

Bir an için aklıma geliyor: Acaba paraşütle atlayan herkes böyle hissediyor mudur? Ama bunun ne önemi var? Başkalarını düşünmek istemiyorum. Sonsuzlukta süzülmekteyim. Doğa sevgili kızıymışım gibi benimle sohbet ediyor. Dağ bana sesleniyor: Benim gücüme sahipsin, diyor. Sen de bizim gibi huzurlu ve sakinsin, diyor göller. Benim gibi parılda ve kendini aş, diyor güneş. Kulak ver.

Aniden bunca zamandır içimde saklı kalan, hem değişmekten hem de her şeyin aynı kalmasından duyduğum korkuda, yalnızlığımda, karabasanlarımda, düşüncelerimin girdabında boğulan sesleri duymaya başlıyorum. Gökyüzünde yükseldikçe kendimden uzaklaşıyorum.

Artık başka bir dünyadayım, her şeyin birbirine kusursuzca uyduğu bir dünyada. Günlük koşturmalarla, ulaşılmaz arzularla, ıstırap ve hazla dolu hayatımdan uzaktayım. Hiçbir şeyim yok ve ben her şeyim.

Kartal vadiye yöneliyor. Açık kollarımla kanat hareketlerini taklit ediyorum. Biri şu anda beni görse kim olduğumu anlamazdı; çünkü ben ışığım, uzayım, zamanım ben. Başka bir dünyadayım artık.

Ve kartal bana sesleniyor: İşte sonsuzluk bu.

Sonsuzlukta varlığımız sona erer; dağları, karı, gölleri ve güneşi yaratan El'in araçlarından birine dönüşürüz. Uzayda ve zamanda geri giderek her şeyin yaratıldığı, yıldızların ters yönde ilerlediği o âna döndüm. Bu El'e hizmet etmek istiyorum.

Aklımda bir sürü düşünce belirip kaybolsa da hissettiklerim değişmiyor. Zihnim bedenimden ayrıldı ve doğaya karıştı. Tüh, kartal da ben de aşağıdaki otelin karşısındaki parka ineceğiz. Ama gelecekte meydana geleceklerin ne önemi var ki? Şu anda buradayım, hem hiçlikten hem de her şeyden yapılmış bu rahmin içindeyim.

Kalbim kâinatın her köşesini kaplıyor. Bütün bu olanları kendi kendime sözcüklere dökmeye çalışıyorum, hissettiklerimi sonradan da hatırlamak istiyorum ama düşünceler hemen dağılıveriyor ve boşluk yeniden her yanı kaplıyor.

Kalbim!

Eskiden etrafıma bakınca engin bir kâinat görürdüm; şimdiyse kâinat kalbimin içinde, tıpkı uzay gibi sonsuza dek genişleyen minicik bir noktaya dönüştü. Bir araç. Bir lütuf. Zihnim kendine hâkim olmaya, hissettiklerimin en azından bir bölümünü açıklamaya çalışsa da hissettiğim bu kuvvet her şeyden üstün.

Kuvvet. Sonsuzluk hissi bana gizemli bir kuvvet hissi bahşediyor. Gücüm her şeye yeter, dünyadaki bütün acılara son verebilirim. Uçarken bir yandan da meleklerle konuşuyorum, şu anda bana önümde süzülen kartal kadar gerçek gelen sesler ve aydınlanma çağrıları duysam da çok yakında hepsini unutacağımı biliyorum. Hissettiklerimi kendime bile tarif etmeyi başaramayacağım ama bunun ne önemi var ki? Geleceğe daha çok var, henüz şimdideyim.

Mantığım yeniden aradan çekildiğinde seviniyorum. Geçmişte gerçekleşen, şimdi gerçekleşmekte olan ve sonsuza dek gerçekleşeceğini bildiğim her şeyi içinde barındıran, ışıkla ve kuvvetle dolu devasa yüreğimi saygıyla selamlıyorum.

Kulaklarıma ilk kez bir ses geliyor: Köpek havlamaları duyuyorum. Yere yaklaştığımızı fark ediyorum ve gerçek dünyaya dönmeye başlıyorum. Birazdan yaşadığım gezegene ayak basacağım, oraya dönmeden önce bütün gezegenleri, güneşleri yüreğimle gezdim ve yüreğim hepsinden büyüktü.

Sonsuza dek bu halde kalmak istesem de düşüncelerim geri geliyor. Sağ tarafta otelimizi görüyorum. Göller ormanların ve tepelerin ardında kalmış.

Tanrı'm, sonsuza dek bu halde kalamaz mıyım?

Kalamazsın, diyor birazdan ineceğimiz parka kadar bize rehberlik eden kartal, sonra da veda ediyor; yeni bir sıcak hava akımı bulunca hiç güç harcamadan, kanat çırpmadan, tüyleriyle rüzgârı idare ederek yükselmeye başlıyor. Sonsuza dek bu halde kaldığın takdirde dünyayı tecrübe edemezsin, diyor kartal.

Ne olmuş yani? Kartalla konuşmaya başlıyorum; ama bunu mantık yürüterek, argümanlar sunarak yaptığımı fark ediyorum. Sonsuzluk'ta tecrübe ettiklerimin ardından dünyada yaşamaya nasıl katlanacağım?

Bulursun bir yolunu, diye karşılık veriyor kartal ama sesi artık zar zor duyuluyor. Ardından da hayatımdan –sonsuza dek– çıkıyor.

Eğitmen kulağıma bir şeyler söylüyor – ayaklarım toprağa değer değmez koşmamı hatırlatıyor.

Önümde uzanan çimenliğe bakıyorum. Önceden hasretle arzuladığım eylem, yani ayaklarımı güvenle toprağa basmak bir şeylerin sonlanması anlamına geliyor.

Tam olarak neyin acaba?

Ayaklarım toprağa değiyor. Birkaç adım koşuyorum ve eğitmen çabucak paraşüte hâkim oluyor. Sonra da kopçalarımı ve kayışlarımı çözüyor. Bana bakıyor. Benimse gözüm göklerde. Gökyüzünde bulunduğum yere yaklaşan rengârenk paraşütlerden başka bir şey görünmüyor.

Ağladığımı fark ediyorum.

"İyi misiniz?"

Yeniden paraşütle atlasam da aynı hissi tecrübe etmemin mümkün olmadığını fark ediyorum.

"Her şey yolunda mı?"

Başımı evet anlamında sallıyorum. Biraz önce yaşadıklarımı anlayabileceğini sanmıyorum.

Anlıyormuş. Her sene bir kez benimle aynı tepkiyi veren birilerinin çıktığını söylüyor.

"Hissettiklerini anlatmalarını istediğimde bir türlü beceremezler. Aynı durumu birkaç arkadaşımla da yaşadım: Kimi insanlar havadayken adeta şoka girerler ve ancak ayakları toprağa değince kendilerine gelirler."

Benim için tam tersi geçerli. Ama tartışacak halde değilim.

İçimi rahatlatmaya çalıştığı için teşekkür ediyorum. Havadayken hissettiklerimin asla sona ermemesini istediğimi anlatmayı aklımdan geçiriyorum. Ama artık bittiğinin farkına varıyorum, kimseye açıklama borcum yok. Eğitmenin yanından ayrılıyorum ve kocamı beklerken parktaki banklardan birine oturuyorum.

Ağlamam bir türlü kesilmiyor. Kocam yere inip yüzünde koca bir gülümsemeyle yanıma geliyor ve uçuşunun harika geçtiğini söylüyor. Ağlamayı sürdürüyorum. Bana sarılıp her şeyin geçtiğini, beni istemediğim bir şeyi yapmaya zorladığı için suçun kendisinde olduğunu söylüyor.

Öyle deme, hiç alakası yok, diye karşılık veriyorum. Beni rahat bırak, lütfen. Birazdan düzelirim.

Yer ekibinden biri ısı yalıtımlı kıyafetlerle botları toplayıp paltolarımızı geri vermek için yanımıza geliyor. Düşünmeksizin hareket ediyorum ve her hareketimde "gerçek" adını verdiğimiz dünyaya biraz daha yaklaşıyorum, oysa orada olmayı hiç mi hiç istemezdim.

Fakat başka seçeneğim yok. Elimden kocama beni yalnız bırakmasını söylemekten başka bir şey gelmiyor.

Dışarının soğuk olduğunu, istersem birlikte otele dönebileceğimizi söylüyor. Hayır, buradan memnunum.

Yarım saat boyunca orada kalıp ağlıyorum. Şükran gözyaşları bunlar, ruhumu arındırıyorlar. Sonunda dünyaya dönme vaktinin geldiğini fark ediyorum.

Kalkıp otele dönüyorum, arabayı yüklüyoruz ve kocam Cenevre'ye kadar kendisinin kullanacağını söylüyor. Radyomuz açık – böylece konuşmak zorunda kalmıyoruz. Yavaş yavaş başıma korkunç ağrılar giriyor; ama sebebini biliyorum: Çözülen meselelerin tıkadığı kısımlara yeniden kan gidiyor. Özgürleşmek ıstırap verir, hep böyle olmuştur.

Kocam bana önceki gün söylediklerini açıklamak zorunda değil. Ben de ona bugün hissettiklerimi açıklamak zorunda değilim.

Kusursuz bir dünya bu.

Senenin bitmesine sadece bir saat kaldı. Cenevre Belediyesi geleneksel yılbaşı kutlamalarında ciddi kesintilere gitme kararı aldığından havai fişek gösterisi pek görkemli olmayacak. Böylesi daha iyi: Hayatım boyunca çok havai fişek gördüm, artık çocukken olduğu gibi heyecanlanmıyorum.

Geçen 365 günü özlemeyeceğimi söyleyemem. Rüzgârlar esip durdu, şimşekler düştü, dalgalar az kalsın teknemi alabora edecekti; ama sonunda okyanusu aşıp güvenle karaya ulaştım, ayaklarımı sağlamca toprağa bastım.

Güvenle mi? Hayır, hiçbir ilişkinin amacı bu olmamalıdır. İki kişi arasındaki bağa en çok zarar veren şey risklerden uzak yaşamak yeniliklerden uzak durmaktır. Aradan geçen yıllara rağmen birbirimizi şaşırtmayı becerebilmemiz gerekiyor.

Her şey düğün seyranla başlar. Bütün arkadaşlarımız oradadır, rahip kıydığı yüzlerce nikâhta söylediklerini bir kez daha tekrarlar, yuvamızı kuma değil kayaya kurmamızı filan söyler, davetliler üstümüze pirinç taneleri atar. Sonra buketi kapma saati gelir, bekâr kadınlar içten içe bizi kıskanırlar; evli kadınlarsa önümüzde uzanan geleceğin peri masallarındakine hiç benzemediğini bilirler.

Bir süre sonra hayatın gerçekleri üstümüze çöker

ama başta direniriz. Eşimizin değişmemesini, *aynen* evlendiğimiz günkü haliyle kalmasını isteriz. Zamanı durdurabileceğimizi zannederiz.

Oysa zamanı durduramayız. Durdurmamalıyız da zaten. Bilgelik ve tecrübe insanı olduğundan farklı birine dönüştürmez. Zaman insanı olduğundan farklı birine dönüştürmez. İnsanı olduğundan farklı birine dönüştüren tek şey sevgidir. Gökyüzündeyken hayata, kâinata duyduğum sevginin her şeyden daha güçlü olduğunu fark ettim.

XIX. yüzyılda ismi bilinmeyen genç bir papazın Aziz Pavlus'un Korint'lilere mektubunu incelerken, sevginin arttıkça farklı yüzlerini göstermesi konusunda kaleme aldığı bir vaazı hatırlıyorum. Vaazında, karşımıza çıkan çoğu dinî metnin insanlığın yalnızca bir kısmına yönelik olduğunu söyler.

Huzur vaat etmesine ederler; ama Hayat'tan hiç söz etmezler.

İman'dan bahsederler ama Sevgi'yi es geçerler.

Adalet'ten dem vururlar ama Aydınlanma'nın lafını bile etmezler; oysa ben Interlaken'da uçurumdan atladığımda kendi ruhumda açtığım kara delikten çıkmayı böyle bir Aydınlanma sayesinde başarmıştım.

Yalnızca Gerçek Sevgi'nin bu dünyadaki diğer sevgilerle boy ölçüşebileceğini o zaman anlamıştım. Bütün varlığımızla teslim olduğumuzda kaybedecek hiçbir şeyimiz kalmaz. Korku, kıskançlık, sıkıntı ve tekdüzelik ortadan kaybolur, geriye sadece boşluğu dolduran ışık kalır ama bu boşluk bizi korkutmaz, tam tersi birbirimize yaklaşmamızı sağlar. Devamlı değişen bir ışıktır bu, zaten güzelliği de buradan gelir, sürprizlerle doludur – kimileri beklenmedik sürprizler olsa da onlarla beraber yaşamasını başarırız.

Coşkuyla sevmek, coşkuyla yaşamak demektir.

Sonsuza dek sevmek, sonsuza dek yaşamak demektir. Sevgi olmadan Sonsuz yaşam mümkün değildir. Sonsuz yaşamla Sevgi arasında sımsıkı bir bağ vardır.

Neden hepimiz sonsuza dek yaşamak isteriz? Çünkü yanımızdaki insanla bir gün daha geçirmek isteriz. Çünkü hayatımızı hem sevgimize layık hem de bizi kendimizi layık gördüğümüz şekilde seven biriyle geçirmek isteriz.

Çünkü yaşamak sevmektir.

Evcil hayvanlara –mesela bir köpeğe– duyulan sevgi dahi insanın hayatına anlam katabilir. Hayatla arasında böyle bir sevgi bağı bulunmayanların yaşamaya devam etmek için de sebepleri kalmaz.

Hayatta önceliği Sevgi'yi aramaya vermeliyiz, gerisi zaten kendinden gelir.

On senelik evliliğimde hem bir kadının tadabileceği her hazzı tattım hem de hak etmediğim acılar çektim. Yine de geçmişe baktığımda, oğullarımın doğumu, kocamla ele ele oturup Alpler'i ya da Leman Gölü'ndeki dev fıskiyeyi izlememiz gibi –kısacık– anların aslında Gerçek Sevgi olduğuna inandığım şeyin kötü taklitlerinden ibaret olduğunu görüyorum. Ama varlığıma anlam katanlar da bu anlar; çünkü yoluma devam etmek için bana güç veriyor –her ne kadar kendimi üzmeye çalışsam da– günlerimi şenlendiriyorlar.

Pencereye gidip dışarıdaki şehre bakıyorum. Kar yağacak diyorlardı ama yağmadı. Yine de bu, hayatımdaki en romantik yılbaşlarından biri olsa gerek; çünkü ölüyorken Sevgi beni diriltti. Sevgi, insanların nesli tükendiğinde dahi baki kalacak.

Sevgi. Gözlerim sevinç gözyaşlarıyla doluyor. İnsan ne kendini ne de başkasını sevmeye zorlayabilir. Sevgi'ye bakmak, ona âşık olmak ve onu taklit etmekten başka elden ne gelir?

Sevmenin başka yolu bulunmaz, bu işin başka sırrı yoktur. Başkalarını severiz, kendimizi severiz, düşmanlarımızı severiz, bu sayede hayatımızda hiçbir eksik kalmaz. Televizyonu açıp dünyada olan biteni izleyebilirim; meydana gelen felaketlerde bir parçacık dahi sevgi bulunuyorsa kurtuluş ümidimiz var demektir. Çünkü Sevgi Sevgi'yi doğurur.

Sevmeyi bilen, Hakikat'i sever, Hakikat'le mutlu olur, ondan hiç korkmaz; çünkü er ya da geç Hakikat tarafından aklanacağını bilir. Alnı ak, mütevazı, önyargılardan ve hoşgörüsüzlükten uzak şekilde Hakikat'i arar – ve sonuçta ne bulursa bulsun memnun olur.

Belki *samimiyet* sözcüğü Sevgi'nin bu özelliğini anlatmak için biraz yetersiz kalıyor ama aklıma başka bir sözcük gelmiyor. Başkalarını küçük düşürecek denli açıksözlü bir samimiyeti kastetmiyorum; Gerçek Sevgi başkalarının zayıf yönlerini ortaya çıkarmaktan geçmez, başı sıkışana yardım etmekten, hayatın başkalarının söylediği gibi kötü olmadığını görünce sevinmekten geçer.

Jacob ile Marianne'ı şefkatle anıyorum. İstemeden de olsa beni kocamın ve ailemin yanına döndürdüler. Umarım senenin bu son gecesinde onlar da mutludurlar. Umarım bu olanlar onları da birbirlerine yaklaştırmıştır.

Acaba işlediğim zinayı aklamaya mı çalışıyorum? Hayır. Hakikat'i aradım, buldum da. Umarım benzer bir tecrübe geçiren herkes için böyle olumlu sonuçlanır.

Hakkıyla sevmeyi öğrenmek.

Dünyadaki amacımız bu olmalıdır: Sevmeyi öğrenmek.

Hayat bize sevgiyi öğrenmemiz için binlerce fırsat sunar. Dünyadaki bütün erkek ve kadınların önüne her gün Sevgi'ye teslim olmak için fırsatlar çıkar. Hayat uzun bir tatil değil, sonsuz bir öğrenme sürecidir.

Çıkarmamız gereken en önemli ders ise sevmeyi öğrenmektir.

Hakkıyla sevmeyi gün geçtikçe daha iyi öğrenmek. Çünkü diller, kehanetler, ülkeler, sağlam Helvet Konfederasyonu, Cenevre ve yaşadığım sokak, sokak lambaları, şu an içinde bulunduğum ev, salondaki mobilyalar, bir gün hepsi ortadan kaybolacak... tıpkı bedenim gibi.

Ama bir şey var ki kâinatın ruhunda iz bırakacak: sevgim. Hatalarıma, başkalarının acı çekmesine yol açan kararlarıma, Sevgi diye bir şeyin var olmadığını düşündüğüm anlara rağmen...

Pencerenin başından ayrılıp çocuklarımı ve kocamı yanıma çağırıyorum. Âdet olduğu üzere şöminenin önündeki koltuğa çıkıp saat tam on ikide sağ ayakla yere inmemiz gerektiğini söylüyorum.

"Sevgilim, kar yağıyor!"

Yine pencereye koşuyorum, sokak lambalarından birinin ışığına bakıyorum. Evet, sahiden de kar yağıyor! Nasıl oldu da önceden fark etmedim?

"Dışarı çıkabilir miyiz?" diye soruyor çocuklarımdan biri.

Daha değil. Önce koltuğa çıkacağız, on iki tane üzüm yiyip senemiz bereketli geçsin diye çekirdeklerini saklayacağız, atalarımızdan öğrendiğimiz bütün bu âdetleri yerine getireceğiz.

Sonra dışarı çıkıp hakkını vereceğiz. Yeni yılın harika geçeceğine eminim.

Cenevre, 30 Kasım 2013